★ 新概念奥林匹克数学丛书

S0-AKB-153

高思学校
竞赛数学课本

徐鸣皋　须佶成　主编

4年级 下

华东师范大学出版社
ECNUP　著名商标
全国百佳图书出版单位

图书在版编目（CIP）数据

高思学校竞赛数学课本．四年级．下／徐鸣皋，须佶成

主编．-- 上海：华东师范大学出版社，2014.9

ISBN 978-7-5675-2583-2

Ⅰ.①高…Ⅱ.①徐…②须…Ⅲ.①小学数学课—教学

参考资料 Ⅳ.① G624.503

中国版本图书馆 CIP 数据核字（2014）第 219951 号

高思学校竞赛数学课本·四年级（下）（第二版）

主　　编　徐鸣皋　须佶成

项目编辑　孔令志　徐　菁

审读编辑　石　岩

装帧设计　[图尖美·瑞玛国际]
　　　　　WWW.0180018.COM

出版发行　华东师范大学出版社

社　　址　上海市中山北路 3663 号　邮编　200062

网　　址　www.ecnupress.com.cn

电　　话　021-60821666　行政传真　021-62572105

客服电话　021-62865537　门市（邮购）电话 021-62869887

地　　址　上海市中山北路 3663 号华东师范大学校内先锋路口

网　　店　http://hdsdcbs.tmall.com

印 刷 者　南通印刷总厂有限公司

开　　本　889×1194　16 开

印　　张　12.75

字　　数　350 千字

版　　次　2015 年 1 月第二版

印　　次　2020 年 8 月第十六次

书　　号　ISBN 978-7-5675-2583-2/G·7639

定　　价　38.00 元

出 版 人　王　焰

（如发现本版图书有印订量问题，请寄回本社客服中心调换或电话 021-62865537 联系）

高思学校竞赛数学课本

顾　　问：裘宗沪	吴建平	陶晓永	姚健钢		
主　　编：徐鸣皋	须佶成				
副主编：邹瑾	李川	杨笑山	汪岩	池恒	
执行主编：温鑫	曹文雯				
编　　著：高思数学工作组					
	曹文雯	路亨	温鑫	贺淳	杨玉彪	姜言东
	丁振玲	田旭	胡羽辰	王文东	郭建任	胡佳亮
	王立强	刘倩	王坤	刘喆	胡晓君	朱东博
	吴东影	黄静	张志鹏	赵令星	王红琳	王长荣
	陈佳祺	林牧	朱书迪	范炜炜	刘中国	王英博
	王钦一	许雁	张勇	王明洋	王西蒙	杨旦
	吴盛波	雷霆	李粟粟	詹子赠	杨墨	付佳
	张明	姜文秀	张持召	陶德龙	郭爱娟	余帅
	刘静娴	朱傲雄	张悦	柳滕菲	黄永亮	张燕
特别鸣谢：唐晓苗	周俊	杨琦	葛颢	冷福生	宋坤
	潘小双	董磊	姜兆伟	陈勉	林海峰	屈旸
	符文君	杨诗武	欧觉钧	杨功荣	王彬	

徐鸣皋 高思学校名誉校长．北京市人大附中仁华学校（原华罗庚数学学校）创始团队成员，学科带头人，数学主教练，北京巨人学校数学尖子班创始人及原负责人．曾参编工科"高等数学"教材，人大附中"华校课本"副主编，《高思学校竞赛数学导引》、《高思学校竞赛数学课本》主编．

邹瑾 北京大学数学科学学院学士、硕士．16 年中小学竞赛数学教育教学经验，曾在仁华学校等著名培训学校任教．"数学解题能力展示活动（迎春杯）"命题组成员和华罗庚金杯少年数学精英邀请赛命题组成员，长期担任北京市 CMO（全国高中数学联赛）集训队教练．第 38、39 届国际数学奥林匹克国家队成员，IMO 金牌．高思学校竞赛部总监．

须佶成 北京大学数学科学学院学士、硕士，18 年竞赛数学教育教学经验，从事超常儿童教育研究 8 年，一直在仁华学校等著名培训学校任教，《仁华学校数学思维训练导引》主要编写作者，《高思学校竞赛数学导引》、《高思学校竞赛数学课本》副主编．高思学校校长．

杨笑山 北京大学数学科学学院学士，北京大学力学与工程科学系硕士．14 年竞赛数学教育教学经验，一直在仁华学校等著名培训学校任教．1999 年全国高中数学建模竞赛一等奖．《高思学校竞赛数学导引》、《高思学校竞赛数学课本》执行主编，高思学校副校长．

李川 北京大学物理学院学士，软件学院硕士．14 年竞赛数学教育教学经验，一直在仁华学校等著名培训学校任教，获 1998 年全国高中数学联赛湖北省一等奖，1999 年全国高中物理竞赛湖北省第三名，入选全国物理竞赛冬令营．《高思学校竞赛数学导引》、《高思学校竞赛数学课本》执行主编，高思学校副校长．

汪岩 毕业于吉林大学数学系．14 年竞赛数学教育教学经验，其中有 3 年新加坡学习和授课的经验，一直在仁华学校等著名机构任教．高思学校最"善解人意"的老师，其课堂讲授能够让各项知识都变得非常易于吸收和理解．《高思学校竞赛数学导引》、《高思学校竞赛数学课本》的执行主编，高思学校副校长．

池恒 北京大学力学与工程科学系毕业．6 年竞赛数学教育教学经验，一直在仁华学校等著名培训学校任教．2003 年获全国高中数学联赛一等奖．小升初权威专家，深受学生和家长的爱戴．2008 年海淀区优秀教育工作者，《高思学校竞赛数学导引》、《高思学校竞赛数学课本》执行主编，高思学校副校长．

路亨 北京大学数学科学学院学士、硕士．9 年竞赛数学教育教学经验，在仁华学校等著名培训机构任教．路老师在 2002 年获得全国高中数学联赛全省第一名，并入选 2003 年全国中学生数学冬令营，保送北京大学数学科学学院；同年，他还获得全国中学生物理竞赛全省第四名．高思学校小学数学部副总监．

温鑫 北京大学工学院学士、硕士．多年中小学辅导以及 AP 考试（美国大学预科）辅导经验．2003 年获全国高中数学联赛二等奖，全国中学生物理竞赛一等奖．大学期间获得北京市物理竞赛二等奖，北京大学"江泽涵杯"数学建模大赛一等奖，连年荣获北京大学三好学生、优秀学生干部．高思学校小学数学部总监．

曹文雯 毕业于北京大学物理学院．9 年奥数及相关教学经验，曾在仁华等培训机构任教．高中连续两年获得全国数学联赛二等奖．极富有爱心的一位老师，拥有使孩子们爱上数学的魔力．曾任北京大学爱心社助残组负责人，会使用手语和盲文．《高思学校竞赛数学导引》、《高思学校竞赛数学课本》主要编者，高思学校教研部总监．

杨玉彪 北京大学数学科学学院数学与应用数学学士，2008 年开始从事竞赛数学的教学，课堂气氛紧凑而活跃．授课知识体系完整，根据不同学生的基础，确定不同的切入点，调整难易程度，采用灵活的教学方法．《高思学校竞赛数学导引》、《高思学校竞赛数学课本》主要编者，高思学校小学数学教材研发部主任．

田旭 信息管理与信息系统专业学士．校优秀学生干部和三好学生，本科毕业获得河北省优秀毕业生称号．多年竞赛数学教育教学经验，热爱教育，善于与孩子交流沟通，从孩子的角度出发进行教学，寓教于乐，注重培养学生良好的学习习惯．《高思学校竞赛数学导引》、《高思学校竞赛数学课本》主要编者，高思学校小学数学一年级教研主管．

丁振玲 教育技术学专业学士．授课思路清晰流畅，教学认真严谨．从事小学竞赛数学教学多年，拥有丰富的教学、教研经验，所教的众多学生在走美杯、迎春杯、希望杯等多种竞赛中获奖．《高思学校竞赛数学导引》、《高思学校竞赛数学课本》主要编者，高思学校小学数学二年级教研主管．

胡羽辰 北京科技大学数学与应用数学和金融工程专业双学士学位．曾获小学四年级迎春杯二等奖．多年竞赛数学教育教学经验，所教多名优秀学生被八中、汇文中学等学校录取．《高思学校竞赛数学导引》、《高思学校竞赛数学课本》主要编者，高思学校小学数学三年级教研主管．

王文东 毕业于北京大学生命科学学院．高中期间，曾获全国联赛物理一等奖、数学二等奖、化学三等奖，理科知识基础扎实．多年竞赛数学教学经验，善于从实际出发，引导学生去独立思考，在教学过程中注重培养学生良好的学习习惯．《高思学校竞赛数学导引》、《高思学校竞赛数学课本》主要编者，高思学校小学数学四年级教研主管．

姜言东 2004 年开始从事中小学数学竞赛教学，在教学实践过程中不断钻研，积累了丰富的教学经验．曾获初中数学竞赛二等奖，高考化学满分．班上学生多数考入人大附中、北大附中、101 等重点中学．《高思学校竞赛数学导引》、《高思学校竞赛数学课本》主要编者，高思学校小学数学六年级教研主管．

吴东影 2009 年参与全国加盟数学教材的编写工作，与北京市重点小学老师一起编写了全国加盟奥数教材；高思团队创立之初，曾任高思学校一、二年级教研主任，带领高思低年级教研团队进行高思"快乐数学"的研发．现正致力于策划高思漫话数学产品，希望借助漫画的形式，从生活、游戏以及漫画故事出发，帮助孩子了解数学，认识数学，最后通过玩的方式让孩子爱上数学．

贺淳 北京大学数学科学学院学士. 9 年小学数学教育教学经验，在仁华学校等著名培训机构任教。两次获得高中数学联赛一等奖，入选 2002 年全国中学生数学冬令营. 大学阶段在数学建模竞赛及 ACM 计算机编程能力竞赛中多次获奖.《高思学校竞赛数学导引》、《高思学校竞赛数学课本》主要编者，高思学校小学数学产品部高级主任.

郭建任 北京大学数学科学学院学士. 9 年中小学竞赛数学教学经验，长期执教于北京各大培训学校. 学生时代曾获得 2000 年全国初中数学联赛满分，2002、2003 连续两年获全国高中数学联赛一等奖，入选中国国家集训队，并因此被保送北京大学数学科学学院. 高思学校初中超常体系负责人.

王立强 毕业于北京理工大学光电工程系. 9 年竞赛数学教育教学经验. 是一位极其有创意、又有责任心的老师，是教材编写过程中的"故事大王". 王老师上课风趣幽默，善于调动学生的自主思考能力，深得学生喜爱.《高思学校竞赛数学导引》、《高思学校竞赛数学课本》主要编者，高思学校培训部总监.

胡晓君 毕业于北京大学数学科学学院，12 年中小学竞赛数学教育教学经验，曾在仁华学校等著名培训学校任教，1995 年获第五届华杯赛金牌，1996、1997 连续两年获得全国初中数学联赛一等奖，1999、2000 连续两年获全国高中数学联赛一等奖，并入选国家集训队，保送北京大学数学科学学院.

刘倩 北京大学数学科学学院学士. 9 年竞赛数学教育教学经验，曾在仁华学校等著名培训机构任教. 学生时代是一名品学兼优的学生，高考成绩优异，数学、物理均是全省前几名，多次参加数学、生物、作文、英语等学科竞赛并获奖.

刘喆 北京大学数学科学学院学士、硕士，17 年竞赛数学教育教学经验. 高思尖子班资深教师，曾在仁华学校等著名培训学校任教. 全国高中数学联赛黑龙江省第二 名，入选 1993 年全国中学生数学冬令营；同年获得全国物理联赛黑龙江赛区一等奖，化学联赛黑龙江赛区二等奖.

胡佳亮 北京大学生命科学学院学士. 9 年竞赛数学教育教学经验，曾在仁华学校等著名培训机构任教. 在理科的各个领域都有所涉猎：2003 年获得全国高中数学联赛一等奖、信息学联赛一等奖、化学联赛一等奖，并进入化学奥林匹克冬令营，保送北京大学生命科学学院.

王坤 北京大学数学科学学院毕业. 14 年竞赛数学教育教学经验. 其幽默风趣的语言风格深受学生喜爱，而其高超精湛的解题技巧则让学生为之叹服，被誉为最有"个人魅力"的老师. 在学生时代曾是 1999 年全国高中数学联赛一等奖获得者，国家集训队第七名，并因此被保送北京大学数学科学学院.

潘小双 北京大学数学科学学院学士，北京大学信息科学技术学院硕士. 9 年中小学竞赛数学教育教学经验，曾在仁华学校等著名培训机构任教. 潘老师在高中时曾获得全国高中数学联赛一等奖，并入选 2000 年全国中学生数学冬令营，因竞赛成绩优异而被保送北京大学.

　　《新概念奥林匹克数学丛书》从酝酿到具体组织力量编写，经过不断斟酌修改，最后定稿，为时长达六年之久．《丛书》目前由《高思学校竞赛数学导引》和《高思学校竞赛数学课本》两个部分组成．我们之所以称之为"新概念"，不是花样翻新的时尚追逐，也不是为谋求一时的轰动效应．《丛书》凝聚了我和我的同事们对中国超常儿童数学教育、思维训练的严肃思考和积极探索，也是我们多年来从事这项工作的经验和成果的结晶．

　　《丛书》属于少年儿童数学超常教育教材范畴．读者群体主要定位于小学三年级至初中一年级智力超常的学生，旨在帮助他们在课余数学培训活动中达到更好的学习效果；同时为数学超常教育工作者提供训练少年儿童思维的手段、方法和内容；对于校内学习绰有余力、对数学有浓厚兴趣、渴望竞赛挑战的尖子学生而言，《丛书》也是竞赛数学指导性教材，是为他们搭建的通往竞赛数学的桥梁．《丛书》将趣味性、知识性以及教育性有机地融为一体，充分利用数学的学科优势，为广大少年儿童综合素质的培养、思维能力的提高，提供一个优质平台．

　　我本人从事超常儿童数学教育工作二十余年，起初是教育自己的孩子，后来执教华罗庚数学学校小学部，最后又创建小学数学尖子班，从超常儿童教学的一线讲台到组织管理、挑选培训师资，使我对超常儿童教育获得全方位的理解，积累大量宝贵的经验，也引起许多深刻的反思．作为一名长期在这个领域辛勤耕耘的工作者，我觉得有责任和义务重新编撰一套适合新形势的超常儿童数学思维训练教材，将我和同事们这些年的新思考、新理念、新经验体现出来．

　　《丛书》始终贯彻一个基本理念，即数学教育不仅仅是知识的传授、技能的培养，更是一种文化和精神的传递．

　　《丛书》突出数学学习"好玩"的特点，使学生领会到数学就在我们身边，使他们愿意尝试数学来满足自己的好奇心，检验自己的才能．而在内容设计上，我们力求使学生发展其思维联想，来感受数学之美、数学之妙，从而产生强烈的成就感，将数学学习训练视为一种刺激和享受.

《丛书》由高思数学工作组团队编著，他们都是从超常儿童成长起来的佼佼者，有些甚至是国际数学奥林匹克的金牌得主. 他们关心并投身于超常儿童的教育事业，已形成一个薪火相传的优秀团队. 《丛书》的许多新内容、新思想，就是他们根据自己的经验并吸收国际数学教育的最新理念而赋予的. 《丛书》不仅知识全面、新颖，趣味盎然，而且具有更新的数学理念和极高的专业性，这应当归功于《丛书》的编撰集体.

特别感谢裘宗沪、吴建平、陶晓永等中国数学奥林匹克顶级专家的大力支持，他们对《丛书》的编撰予以热情指导及严格审定，是《丛书》高质量的坚实保证.

《丛书》的编写和出版得到了"华杯赛"组委会办公室的积极支持，"华杯赛"主试委员会的专家参与了对《丛书》的指导和审查. 该书被"华杯赛"组委会办公室列为推荐教材. 对此，我表示深深的谢意.

我希望所有志同道合的朋友共同努力，为具有中国特色的超常儿童教育探索出一条广阔的发展之路.

徐鸣皋

2014 年 4 月

　　《新概念奥林匹克数学丛书》目前由两部分组成：一是《高思学校竞赛数学导引》（以下简称《导引》），二是《高思学校竞赛数学课本》（以下简称《课本》）．《课本》在 2010 年第一次出版，是国内第一本彩色设计、用漫画故事引入数学知识的课外数学教材，旨在提升学生的学习兴趣，受到了学生的喜爱和教师同行的肯定．经过 4 年教学实践，我们搜集了大量反馈意见，将本书的大纲、漫画、例题、练习都进行了优化，同时将所有知识章节按专题串联为 7 棵"知识树"，明确体现了知识的整体架构和前后讲次的关联．

　　在国内现行的数学教学过程中，很多采取"两步走"的教学方法．第一步，告诉学生数学知识；第二步，带领学生做题．在高思学校的数学教学实践中，更加强调学生的主动思考，让学生创造知识．我们希望通过故事中的一个问题引起小学生的探索兴趣，进而让学生知道为什么要学习这个数学知识，这个知识是怎么得来的，这个知识的历史背景是什么，这个知识所蕴含的数学思想是什么，这个知识在生活中有哪些应用．

　　通过符合学生心理特征的教学形式，使学生爱上数学；通过让学生参与创造知识的全过程，激发学生主动思考．

第一部分 《导引》

　　在编写《导引》的过程中，我们通过大量调研，比较了已有的各类竞赛数学教材，搜集了近 20 年来国内外小学数学竞赛试题，总结归纳出了一套完善的知识体系．再结合高思学校数学尖子班多年的教学实践，我们将这套知识体系搭建为一个包含"横向"和"纵向"两个维度的架构．

　　其中，横向分为七大专题，计算、几何、应用题、计数、数论、数字谜以及组合数学；而纵向则按照学生接受能力和校内课程进度，将七大专题分配到 3、4、5、6 四个年级中——这就形成了一套循序渐进的学习计划和教学大纲．

　　《导引》就是按照上述安排构建成的一套计划大纲，每年级一册，每册 24 讲，共 96 讲．每讲开头都有一段内容概述，阐述本讲知识要点，然后通过近 40 道习题来体现这些知识．这些习题又被划分为"兴趣篇"、"拓展篇"和"超越篇"三个部分，这三部分在知识内容与题目难度上的关系如右图所示．

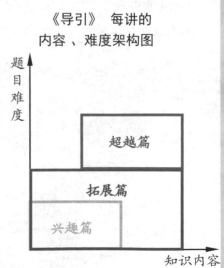

《导引》每讲的内容、难度架构图

兴趣篇主要面向在学校学有余力的学生，希望通过一些略有难度的问题，激发他们进一步思考数学问题的兴趣，因此对知识内容和题目难度都有所控制；拓展篇则包含了竞赛数学完整的知识体系，目的是让数学能力突出的学生接受系统化训练，其难度符合大多数竞赛的要求；超越篇的读者群体则定位于有数学天赋，已接受过系统化训练，且具有较深厚竞赛数学功底的学生，这里给他们提出了更高的要求，更大的挑战，激励他们进一步探索和思考.

所以，超越篇的学习必须以拓展篇为基础，但拓展篇的学习并不一定要以兴趣篇为铺垫，因为两者都是从零起步，只是拓展篇包含更完整的知识体系，具有更大的难度而已，究竟从哪一篇学起取决于学生的具体情况.

第二部分 《课本》

《课本》的难度定位为《导引》中的拓展篇，每个年级分为上、下两册. 相比《导引》的大纲式习题集，《课本》是一本直接用于课堂教学的教材.

《课本》中的每一讲都包含 6 大模块：开篇漫画、知识树、知识精讲、挑战极限、课堂内外以及作业. 其中开篇漫画用一个有趣的小故事引入本讲；知识树用于表明本讲在专题中所在的位置；知识精讲详细讲解本讲所涉及的知识点，其中每道例题配有对应的练习，采取一例一练的形式；挑战极限是与本讲内容有关的 2 道难题，供学有余力的学生使用；课堂内外是一些数学相关的小知识；作业用于课后巩固复习.

另外，《课本》中每一讲全部例题、练习以及作业的答案与解答，都可以在书的参考答案中找到.

在本丛书的编写和修订过程中，我们一直本着认真负责和精益求精的态度开展工作，主观上尽了最大努力，但由于水平和经验有限，难免出现一些不足和疏漏. 因此我们竭诚欢迎并殷切期盼各位读者对本书提出批评和建议.

为了便于搜集各位读者对本丛书的意见和建议，我们在高思学校的官方论坛（bbs.gaosiedu.com）中开辟了一个专区，欢迎大家前来发表意见和看法. 我们同时也会在网站上及时发布相应的勘误信息，及时回答大家的疑问，便于大家更好地使用本丛书.

李川 杨笑山 温鑫

2014 年 4 月

本套丛书 1-6 年级所有章节按专题串联为 7 棵"知识树",分为计算、几何、应用题、计数、数论、数字谜以及组合。其中,每片叶子代表一个章节,叶子的高度代表年级的高低,叶子间的树干连结代表逻辑关联。金黄色的叶子代表在这本书中会学习到的章节,上方的气球代表这个专题的综合性章节。

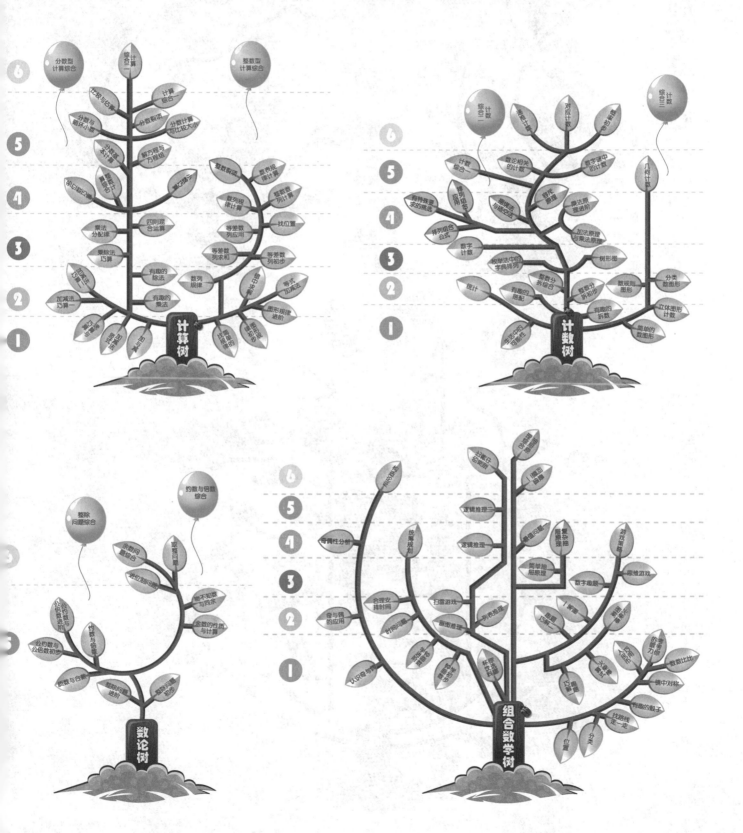

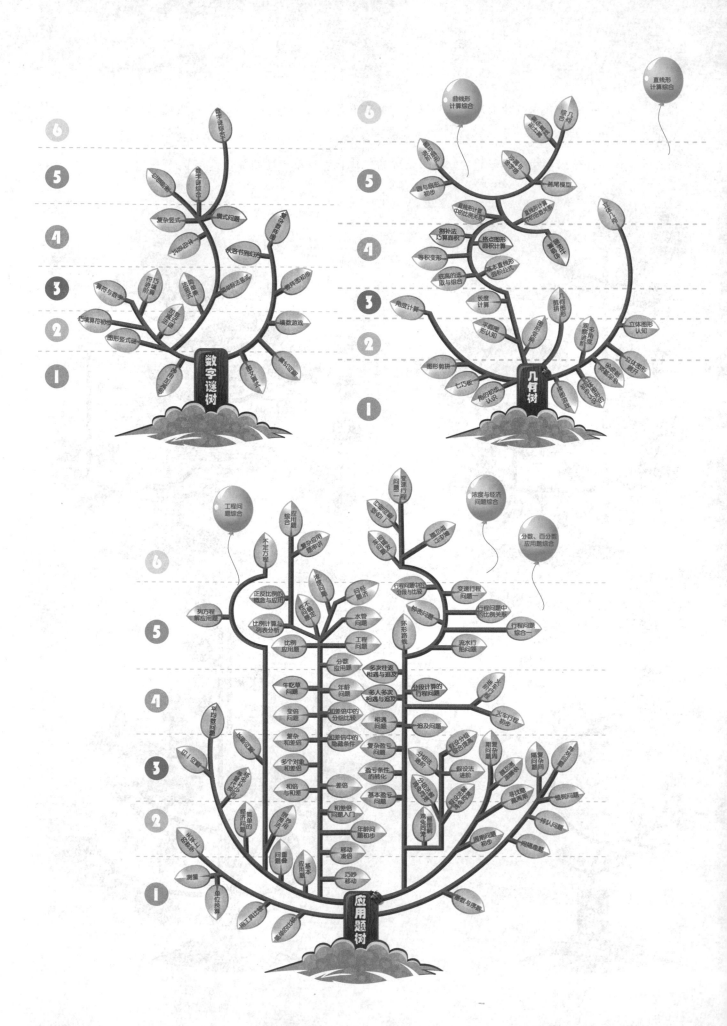

目录 四年级 下册

人物介绍

我们的故事发生在卡尔小镇. 它是公元3000年左右, 地球联合公国的一个城镇. 由于小镇成员都很喜欢数学, 因此用数学家卡尔·费里德里希·高斯的名字命名.

小高

出身于武术世家, 经常跟着爷爷练习各类武术. 乐于助人, 坚韧有毅力, 是班里的"高小侠". 他对数学的基础方法掌握得非常好.

卡莉娅

她原本是魔法世界的一员, 由于魔法事故, 落到了卡尔小镇. 现在寄住在墨莫家. 习惯用魔法来解决问题, 但是使用不熟练的魔法也给她带来了不少小麻烦.

小山羊

卡莉娅的随身宠物. 他其实是跟随了卡莉娅家三代的魔法使者. 和卡莉娅一起落到卡尔小镇. 是卡莉娅的伙伴兼老师.

阿呆、阿瓜

班里的一对双胞胎, 学习不太专心, 而且经常闹些笑话.

萱萱

温柔善良、善解人意的女孩. 生来就拥有超能力, 能够体会动物和植物的心情, 并能与它们沟通, 是公认的知心姐姐. 常常能注意到生活和学习中的很多细节.

墨莫

因为太喜欢看书, 小小年纪就戴上了大大的眼镜; 因为埋首于实验室, 缺乏锻炼而成了小胖墩. 但付出总有回报, 每次考试总是第一名, 总是最快地提出新鲜有趣的解法, 使他被同学们称为"小博士".

墨爷爷

墨莫的爷爷, 自称是中国古代科学家墨子的后代. 喜欢发明各种新奇的道具, 并且拉着孩子们一起做各种有趣的实验.

高爷爷

小高的爷爷, 开设武馆教授武艺, 不仅锻炼了小高的身体, 也教给他很多为人处世的道理.

第一讲 从洛书到幻方

知 识 树

知识精讲

大家仔细观察一下右侧这个 3 行 3 列的数阵图，很快就会发现一个有趣的现象：它的每行、每列以及每条对角线上 3 个数之和都等于 15！像这样行和、列和以及对角线和都相等的方形数阵图就称为幻方．这些相等的和我们就称为幻和．

4	9	2
3	5	7
8	1	6

幻方有大有小，刚才的这个幻方是 3 行 3 列的，因此也叫做三阶幻方；如果幻方是 4 行 4 列的，我们就称之为四阶幻方；至于五阶、六阶幻方的含义依此类推．

上图是一个基本三阶幻方，其实任意一个三阶幻方都是可以由它变化而来的．比如用 2 至 10 构建一个三阶幻方，那么只需要把基本三阶幻方中的每一个数都加 1 即可；又如用 2，4，6，…，16，18 构建一个三阶幻方，那么只需要把基本三阶幻方中的每一个数都乘 2 即可．

因此，学会构建基本三阶幻方的方法，我们就可以很轻松地构建无数个三阶幻方．

我们先来学习一种很快构建三阶幻方的方法．我国古代的数学家概括其构建方法为："九子斜排，上下对易，左右相更，四维突出"．如下图所示：

```
        1                           9                                    4   9   2
    4       2      1和9对调      4       2     4、2、8、6
  7   5   3       ────────>   3   5   7     ────────>    3   5   7
    8       6     3和7对调      8       6      分别往外拉         8   1   6
        9                           1
```

例题 1

用 3，6，9，…，24，27 这 9 个数构建三阶幻方与用 1~9 构建三阶幻方有什么联系呢？

练习 1

用 7，14，21，…，56，63 这 9 个数构建一个三阶幻方．

例题2

如图，在 4×4 的方格表中填入恰当的数，使得每行、每列、每条对角线上的所填数之和都相等.

「分析」每行、每列、每条对角线上所填数之和都相等，你能算出这个和是多少吗?

7	12		14
2	13		11
16		10	
9			

练习2

在如图 4×4 的方格表中填入恰当的数，使得每行、每列、每条对角线上的所填数之和都相等. 那么 "&" 处所填的数是多少?

		7	12
&	4	9	
	5	16	3
8	11		

有些时候一开始幻和是求不出来的，这个时候需要利用一种基本的数学思想——比较法来推导. 如右图三阶幻方，我们取出有公共格（★）的一行一列. 由于行和与列和相同，因此去掉 "★" 公共格后，剩下数的和仍然相同. 也就是说 $5+8=A+7$，因此 A 就等于 6. 这种方法我们称之为比较法，通过对有公共格的两条直线进行比较分析，可以确定一些未知的空格. 比较法是解决幻方问题非常重要的一种方法.

例题3

请完成图中的三阶幻方:

「分析」利用题目中已填的数是无法直接算出幻和的，可以利用 "比较法" 填出一些数，进而计算幻和吗?

3

练习3 请完成图中的三阶幻方:

14	11	
7		22

三阶幻方是结构最简单的幻方,它还有三个常用的重要性质:

(1)幻和等于幻方中心方格内所填数的 3 倍,如右图所示,即幻和 $=3\times A$;

(2)所有经过中心方格的行、列或对角线上的三个数,均构成等差数列;

(3)位置如 a、b、c 所示的三个格子满足如下关系: $b+c=2\times a$.

a		
	A	c
	b	

例如:右面的幻方中,有:

(1)幻和等于 $3\times5=15$;

(2)4、5、6,2、5、8,9、5、1,3、5、7均成等差数列;

(3)$1+7=2\times4$,$7+9=2\times8$,$3+9=2\times6$,$1+3=2\times2$.

利用以上的几个性质,就可以非常快捷地填出有空缺的三阶幻方.

4	9	2
3	5	7
8	1	6

例题4

(1)请完成左下图中的三阶幻方.

(2)在右下图中的每个空格内填入一个数,使得每行、每列及两条对角线上的 3 个方格中的各数之和都等于 27.

「分析」尝试用一下三阶幻方重要性质解决问题吧!

	5	
6		8

12		
	8	

练习4

(1)请完成左下图中的三阶幻方.

(2)已知右下图这个幻方的幻和等于 30,这个幻方中最大的数是多少?

7		
	9	
	6	

	7	11

欧拉幻方

如图是一个欧拉幻方，它的每行或每列所有数之和为 260，半行或半列之和为 130.

更妙的是一个国际象棋中的马可以按照它的步法依正整数顺序从 1 走到 64.

1	48	31	50	33	16	63	18
30	51	46	3	62	19	14	35
47	2	49	32	15	34	17	64
52	29	4	45	20	61	36	13
5	44	25	56	9	40	21	60
28	53	8	41	24	57	12	37
43	6	55	26	39	10	59	22
54	27	42	7	58	23	38	11

挑战极限

5

例题5

在图中的每个空格内填入一个数，使得每行、每列及两条对角线上的 5 个方格中的各数之和都相等.

「分析」试着找一下交叉的两个幻和，能否应用"比较法"填出一些格子，进而计算出幻和呢？

	9			
3	7	8	2	
	3	8	4	6
8	4		2	3
		0	8	7

比较法就是通过对两条有公共部分的直线进行幻和的比较，从而求出幻方中的一些未知数. 这个方法不仅适用于幻方，也适用于一些与幻方类似的数阵图问题. 所以比较法在数学学习中是一种很重要的数学思想和解题方法.

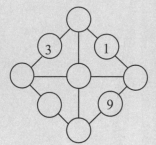

将 1、2、3、5、6、7、9、10、11 填入图中的小圆圈内，使得每条直线上三个圆圈中的数之和都相等.

「分析」 在填写幻方时，我们常常找有公共方格的两条直线进行比较分析，本题我们也可以用类似的方法.

6

神秘的洛书

相传在我国远古的伏羲氏时代，有一匹龙马游于黄河，马背上负有一幅奇妙的图案，这就是所谓的《河图》. 有一只神龟出没于洛水，龟壳上有一些神秘的符号，这就是所谓的《洛书》. 伏羲氏知道后，就按照《河图》、《洛书》编制八卦，用以推算历法，预测吉凶等.

在我国的古籍《周易》、《尚书》、《论语》中都有关于《河图》、《洛书》的记载. 《周易》的系辞篇里是这样记载的："河出图，洛出书，圣人则之." 这与上述传说颇相吻合. 也许这一记载正是上述传说的来源或记录吧！

明朝的程大位也曾说："数何肇自图书乎，伏羲氏得之以画卦，大禹得之以序畴，列圣得之以开物." 意思是说："数起源于什么？它起源于河图、洛书吗？伏羲氏得到它后，用它绘制出八卦；大禹得到它后，用它来规划田畴；圣贤得到它后，用它来开发物产."

那么，河图究竟是一个什么样的图案，洛书究竟是一些什么样的书写符号呢？这在《周易》、《论语》这些典籍中都没有记载. 直到宋代，朱熹经解《周易》时，曾派他手下的学者蔡元定去四川，用高价才在民间收购到了华山道士搏传出的《太极图》、《河图》、《洛书》等. 其中《太极图》与现在流传的太极图相同，而《河图》《洛书》则是由一些圆圈点构成的图形.《洛书》的形状如下左图所示. 这与公元前一世纪时我国汉代的《大戴礼》一书中的九宫图相合. 所谓九宫，就是将一个正方形用两组与边平行的分割线，每组两条，分割成的九个小正方格．每个小方格分别填入从 1 到 9 这九个自然数中的其中一个，不同的方格填入的数不同，使得三横行中每一横行三个数的和（叫行和），三纵列中每一纵列三个数的和（叫列和），两条对角线中每一条对角线上三个数的和（叫对角和）都相等，等于 $(1+2+3+4+5+6+7+8+9) \div 3 = 15$．

这样得到的图就叫九宫图．与洛书相应的九宫图如右下图所示．

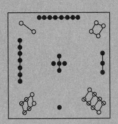

二	九	四
七	五	三
六	一	八

作业

1 用 2、4、6、8、10、12、14、16、18 这 9 个数构建一个三阶幻方．

2 请将 1~16 填入图中 16 个方格中，使得每行、每列及两条对角线上的各数之和都相等．现在已经填入了一些数，请补全这个幻方．

3	16		
		4	
12	7		
13		11	8

3 请补全下面的三阶幻方.

11		27
	18	

4 已知下面这个幻方的幻和等于 21，请补完这个三阶幻方.

		3
6		

5 将 4、6、8、9、10、12、13、14、17 填入图中的圆圈内，使得每条直线上的数之和都相等.

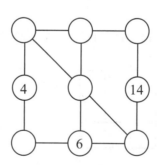

知识树

知识精讲

小数加减法的计算法则

计算小数加减法，首先要把小数点对齐，也就是把相同数位上的数对齐，然后按照整数加减法的法则进行计算．注意在小数的末尾添上 0 或去掉 0，小数的大小不变．

例如：

$$
\begin{array}{r}
3\ 5.\ 6 \\
+\ 2\ 3.\ 5 \\
\hline
5\ 9.\ 1
\end{array}
\qquad
\begin{array}{r}
3\ 5.\ 6 \\
-\ 2\ 3.\ 5 \\
\hline
1\ 2.\ 1
\end{array}
\qquad
\begin{array}{r}
1\ 3\ 2.\ 6 \\
-\ \ \ 5\ 5.\ 5\ 5 \\
\hline
7\ 7.\ 0\ 5
\end{array}
$$

小数加减混合运算中的加减法是同级运算，按从左到右的顺序依次计算．如果有小括号，要先算小括号里面的，后算小括号外面的．另外，整数加减法运算中常用的加法交换律、结合律等方法都可以应用到小数的加减法运算中，使计算简便．在算式中存在多个小数相加时，很多时候会出现小数成等差数列的情形，这时同样可以用整数等差数列的求和公式进行计算．

例如：

$28.59 + 15.63 + 4.37 = 28.59 + (15.63 + 4.37) = 28.59 + 20 = 48.59$ ，

$28.59 + 18.44 - 8.59 = 18.44 + (28.59 - 8.59) = 18.44 + 20 = 38.44$ ．

例题 1

巧算:

(1) $7.973 + 1.275 - 1.473 + 2.225$;

(2) $0.1 + 0.2 + 0.3 + 0.4 + 0.5 + 0.6 + 0.7 + 0.8 + 0.9 + 0.10$.

「分析」凑整是加减法的基本巧算技巧,上面两个小题中,哪些数可以凑整呢?

练习 1

巧算:(1) $1.34 + 34.1 + 2.56$; (2) $2.1 + 2.3 + 2.5 + 2.7 + 2.9$.

小数乘法的计算法则

计算小数乘法,先把小数末位对齐,将两个乘数都看成整数,算出整数乘积,然后看两个乘数中一共有几位小数,积中就有几位小数,就要把小数点从积的右边起向左移动几位. 如果积中的小数位数不够,就在前面添 0 补足. 如果小数末尾有 0,就把小数末尾的 0 省去.

例如:

计算 1.6×1.14,可以先算出 $16 \times 114 = 1824$,两个乘数一共有三位小数,乘积就是 1.824.

计算 0.21×0.4,可以先算出 $21 \times 4 = 84$,两个乘数一共有三位小数,乘积就是 0.084.

计算 2.5×3.8,可以先算出 $25 \times 38 = 950$,两个乘数一共有两位小数,在 9.50 中省去小数部分末尾的 0,得到 9.5.

$$
\begin{array}{r}
1.1\;4 \\
\times\quad 1.6 \\
\hline
6\;8\;4 \\
1\;1\;4 \\
\hline
1.8\;2\;4
\end{array}
$$

小数除法的计算法则

除数是整数的小数除法,就是按照整数除法的法则进行计算,最后在商中与被除数小数点对齐的位置点上小数点. 在不够商 1 时,要用 0 占位. 除到末尾还有余数时,要在余数末尾添上 0 继续除.

除数是小数的小数除法,先移动除数的小数点,使它变成整数. 根据"被除数和除数同时扩大相同的倍数，商不变"，除数的小数点向右移动几位，被除数的小数点也要相应地向右移动几位，然后再按照除数是整数的除法计算．注意在移动被除数的小数点时，如果位数不够，要在被除数末尾用 0 补足．

例如：

```
          3. 4                      1. 2  5
   2 3 / 7 8. 2          1 2 / 1  5
       6 9                    1  2
       ─────                  ──────
         9 2                     3  0
         9 2                     2  4
       ─────                     ──────
           0                        6  0
                                    6  0
                                    ──────
                                       0
```

例题2

巧算：

（1）1.23×100；（2）3.56×4；（3）2.5×0.4；（4）0.26×0.03；

（5）1.23÷100；（6）0.84÷12；（7）1.771÷1.1；（8）1÷1.25．

「分析」小数乘除法，如果是乘或除以整十、整百、整千……这样的数，那么直接移动小数点即可；一般的乘法，则先看做整数乘法，再点小数点，而一般的除法，则必须先把除数变成整数，才可以列竖式计算．

练习2

巧算：（1）123.45×0.01；（2）44.5×0.6；（3）123.45÷0.01；（4）1÷8．

小数乘除混合运算与整数乘除混合运算的运算顺序相同，都是从左到右依次计算．整数乘除法中的运算技巧同样可以应用到小数乘除法中．

在小数乘除混合运算中，根据某些数之间的倍数关系进行配对计算，往往可以使看似复杂的运算变得非常简便.

例如：

$7.6 \times 24.5 \div 3.8 = 7.6 \div 3.8 \times 24.5 = 2 \times 24.5 = 49$ ；

$14.6 \div 0.2 \div 50 = 14.6 \div (0.2 \times 50) = 14.6 \div 10 = 1.46$.

例题 3

巧算：（1）$1.25 \times 0.26 \times 8$ ； （2）$4.5 \times 4.8 \div 15 \div 0.24$.

「分析」 小数乘除法的巧算与整数乘除法巧算方法是一样的，好好观察算式，其中哪些数可以凑整呢？

练习 3

巧算：（1）$0.25 \times 1.36 \times 40$ ； （2）$0.56 \times 2.3 \div 1.4$.

小数的四则混合运算和整数四则混合运算的顺序是相同的，计算时要注意先算乘除法，后算加减法，有括号的要先算括号内的. 在小数的四则混合运算中，提取公因数是常见的一种巧算方法.

例题 4

巧算：（1）$8.6 \times 0.37 + 0.73 \times 8.6$ ； （2）$1.2 \times 3.3 + 2.4 \times 3.35$.

「分析」（1）中是有公因数的，直接提取计算即可；（2）中并没有相同的两个因数，但是 1.2 和 2.4 是有倍数关系的，你会利用倍数关系构造出公因数吗？

练习4 巧算:(1) $4.5 \times 7 - 4.5 \times 6.94$; (2) $1.1 \times 17.6 + 3.3 \times 0.8$.

有些时候小数运算中的公因数并不是直接给出的,往往需要通过小数点的移动变化来获得. 两个小数相乘,如 17.56×3.8 ,当我们把 17.56 的小数点向左移动 1 位,变成 1.756,相当于除以 10,为保证乘积不变,3.8 要乘 10,相当于小数点向右移动 1 位变成 38. 那么我们可以把 17.56×3.8 通过小数点移动变形为 1.756×38 ,乘积不变. 同理还可以变形为 175.6×0.38 , 0.1756×380 , $\cdots$,乘积也是一样的.

挑战极限

14

例题5

巧算:(1) $1.25 \times 3.14 + 12.5 \times 0.486$; (2) $2999 \times 1.998 - 199.8 \times 9.99$.

「分析」(1)中 1.25 和 12.5 看起来很像,能否把它们变成同一个数,进而提取公因数呢?(2)中有没有看起来很像的两个数呢?

例题6

巧算: $4.32 \times 23.5 + 0.581 \times 568 + 43.2 \times 3.46$.

「分析」第一个和第三个乘法算式中,有 4.32 和 43.2,可以想办法构造公因数,但是第二个乘法算式该怎么处理呢?

小数的由来

中国自古以来就使用十进位制计数法,一些实用的计量单位也采用十进制,所以很容易产生十进分数,即小数的概念.第一个将这一概念用文字表达出来的是魏晋时代的刘徽.他在计算圆周率的过程中,用到尺、寸、分、厘、毫、秒、忽等7个单位;对于忽以下的更小单位则不再命名,而统称为"微数".到了宋、元时代,小数概念得到了进一步的普及和更明确的表示.杨辉《日用算法》(1262年)载有"两斤换算"的口诀:"一求,隔位六二五;二求,退位一二五."即1/16 = 0.0625;2/16 = 0.125.这里的"隔位"、"退位"已含有指示小数点位置的意义.秦九韶则将单位注在表示整数部分个位的筹码之下,例如:一Ⅲ一Ⅱ表示13.12寸,寸是世界上最早的小数表示法.在欧洲和伊斯兰国家,古巴比伦的六十进制长期以来居于统治地位,一些经典科学著作都是采用六十进制,因此十进制小数的概念迟迟没有发展起来.15世纪中亚地区的阿尔卡西(? ~ 1429)是中国以外第一个应用小数的人.欧洲数学家直到16世纪才开始考虑小数,其中较突出的是荷兰人斯蒂文(1548 ~ 1620),他在《论十进制》(1583年)一书中明确了表示法.例如把5.714记为:5◎7①1②4③或5,7′1″4‴.而第一个把小数表示成今日世界通用的形式的人是德国数学家克拉维斯(1537 ~ 1612),他在《星盘》(1593年)一书中开始使用小数点作为整数部分与小数部分之间的分界符.

作业

1 计算:

(1) $12.7 + 5.63$;   (2) $6 - 3.125$;

(3) 0.35×0.4;   (4) $9.999 \div 3.3$.

2 计算：$0.2 + 0.4 + 0.6 + 0.8 + 0.12 + 0.14 + 0.16 + 0.18$.

3 计算：（1）$4 \div 11 \times 3.3 \times 2.5$ ； （2）$11 \div 0.125 \div 8$.

4 计算：$1.242 \times 6.7 + 0.758 \times 6.7$.

16

5 计算：$5.24 \times 35.7 + 47.6 \times 3.57$.

第三讲 多人多次相遇与追及

知识树

知识精讲

在之前的课程中，我们已经学过了如何处理两个对象之间的相遇追及问题．本讲我们进一步学习过程更为复杂的三个对象之间的行程问题．本讲中画线段图非常重要，你还记得画行程图要注意什么吗？

例题 1

有甲、乙、丙三个人，甲每分钟走 40 米，乙每分钟走 60 米，丙每分钟走 50 米．

A、B 两地相距 2700 米．甲从 A 地，乙、丙从 B 地同时出发相向而行．请问，甲在与乙相遇之后多少分钟又与丙相遇？

「分析」 全程已知，三个人的速度也都已知，那么甲乙的相遇时间、甲丙的相遇时间都是可以计算出来的．

练习1　有冰冰、雪雪、霜霜三个人，冰冰每分钟走 4 米，雪雪每分钟走 5 米，霜霜每分钟走 6 米．*A*、*B* 两地相距 990 米．雪雪从 *A* 地，霜霜、冰冰从 *B* 地同时出发相向而行．请问，雪雪与霜霜相遇之后多少分钟又与冰冰相遇？

例题2　叮叮、咚咚两人各自开车从 *A* 地出发，铛铛则从 *B* 地同时出发，相向而行．叮叮的速度为每小时 70 千米，铛铛的速度为每小时 50 千米．出发 3 小时后，叮叮与铛铛相遇．又过了 1 小时，咚咚也与铛铛相遇．请问：咚咚的车速是多少？

「分析」请在图中把过程补全，并标出相应的数据，例如速度、时间、路程等．然后注意分析，看看哪个过程是可以计算的？

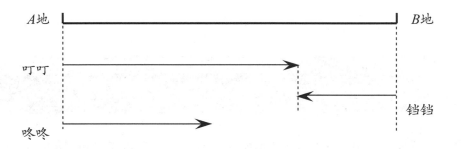

练习2　小春、小秋两人从 *A* 地出发，小夏则从 *B* 地同时出发，相向而行．小春的速度为每小时 60 千米，小夏的速度为每小时 40 千米．出发 3 小时后，小春与小夏相遇．又过了 1 小时，小秋也与小夏相遇．请问：小秋的速度是多少？

例题 3

甲、乙两辆汽车的速度分别为每小时 52 千米和每小时 40 千米, 两车同时从 A 地出发到 B 地去, 出发 6 小时后, 甲车遇到一辆迎面开来的卡车. 又过了 1 小时, 乙车也遇到了这辆卡车. 请问: 这辆卡车的速度是多少?

「分析」本题的运动过程和上题类似吗? 请先把图补充完整, 仍然是标出数据进行分析, 看看哪个过程是可以计算的?

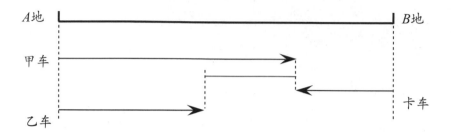

练习 3

甲、乙两辆汽车的速度分别为每小时 60 千米和每小时 45 千米, 两车同时从 A 地出发到 B 地去, 出发 7 小时后, 甲车遇到一辆迎面开来的卡车. 又过了 1 小时, 乙车也遇到了这辆卡车. 请问: 这辆卡车的速度是多少?

通过前面几道例题, 同学们会发现解决多人多次的相遇与追及等更为复杂的行程问题, 画线段图是相当重要的. 然而我们不但要学会画图, 还要学会看图. "横看成岭侧成峰", 同一个对象从不同的角度丢观察往往会有不同的认识. 就像例题 3 中红色的那条线段, 既可以看成甲、乙两车的路程差, 也可以看成乙车与卡车的路程和. 当运动过程趋于复杂时, 尤其需要这种从不同角度看待问题的思维习惯, 这样才能充分利用好题目中的条件.

20

小总结

> 横看成岭侧成峰，
>
> 远近高低各不同.
>
> 不识庐山真面目，
>
> 只缘身在此山中.

　　这是宋代作家苏轼所著的七言绝句《题西林壁》，诗里所描绘的是庐山的景象. 这首诗的寓意并不仅仅止于要从不同的角度来看待问题，它的重点在于后两句：游人之所以左看右看、上看下看，看到的情景都不一样，无法看清庐山真面目，就是因为没能超然于庐山之外统观全貌. 也就是说，当我们总是纠缠于问题的复杂，而无法统观全局时，就陷入到了问题之中，成了问题的一部分；而如果想要解决问题，就必须从问题中跳出来，以全局的高度来审视问题. 这一点对于我们解决较复杂的问题而言尤为重要.

例题 4

甲、乙、丙三人走路，甲每分钟走 60 米，乙每分钟走 50 米，丙每分钟走 40 米. 如果甲从 A 地，乙和丙从 B 地同时出发相向而行，甲和乙相遇后，过了 15 分钟又与丙相遇，求 A、B 两地间的距离为多少米？

「分析」 请自己画出详细的线段图，好好分析一下，还能像前面两个例题那样一段一段计算吗？如果不能，该怎么办呢？

练习 4

刘备、关羽、张飞三人，刘备每分钟走 40 米，关羽每分钟走 60 米，张飞每分钟走 50 米. 如果刘备从 A 地，关羽和张飞从 B 地同时出发相向而行，刘备和关羽相遇后，过了 10 分钟又与张飞相遇，求 A、B 两地间的距离为多少米？

　　上面几道例题的运动过程是一样的，在这样的运动过程里面，会有两次相遇运动和一次追及运动．在这个运动过程中有一段路程既是路程和又是路程差，需要同学们格外注意．

　　接下来我们来看一下和速度倍数相关的行程问题．大家想象一下，如果甲、乙两人同时出发同向前进，甲的速度是乙的 3 倍，那么 5 分钟后，甲的路程是乙的几倍？ 30 分钟后，甲的路程又是乙的几倍？ 2 个小时后，甲的路程又是乙的几倍？

　　其实上述问题的答案都是 3 倍．不管时间过了多久，只要甲、乙两人的时间相同，他们路程的倍数关系就等于速度的倍数关系．

挑战极限

例题 5

　　A、B 两城相距 48 千米，甲、乙、丙三人分别以每小时 4 千米、2 千米、2 千米的速度行走．甲、乙两人从 A 城，丙从 B 城同时出发，相向而行．请问：出发多长时间后，甲正好在乙和丙的中点？

　　「分析」速度分别是 4、2、2，那么我们可以把三人的路程分别设为几份呢？请试着画出线段图，标份数进行分析．

22

例题6

A、B 两城相距 50 千米，甲、乙、丙三人分别以每小时 4 千米、2 千米、2 千米的速度前进．甲、乙两人从 A 城，丙从 B 城同时出发，相向而行．请问：出发多长时间后，丙正好在甲和乙的中点？

「分析」同上题，还是需要把路程设份数，画出线段图进行分析．但要注意，丙在甲、乙的中点，应该是在甲、丙相遇错开后发生的．

形象地来说，本讲行程问题最大的特点就是"繁"——人多、车多、过程多．怎么解决这样复杂的问题呢？

首先，必须有勇气，只要有勇气，你就敢面对这样的问题，积极开动脑筋去想．

其次，必须有耐心，只要有耐心，你就能动手去画图，细致地分析每一组数量关系，再花上些时间，题目自然能够搞定．

或许有人会说，这根本不是什么解题技巧，画线段图、分析倍数关系才是解题．其实，这些只是技巧中的皮毛，真正的技巧是一种智慧，而勇气和耐心就是这种智慧的内涵．

课堂内外

换个角度看问题

有这样一个故事：有个年轻人为贫所困，便向一位老者请教．老者问："你为什么失意呢？"年轻人说："我总是这样穷．""你怎么能说自己穷呢？你还这么年轻．""年轻又不能当饭吃．"年轻人说．老者一笑："那么，给你一万元，让你瘫痪在床，你干吗？""不干．""把全世界的财富都给你，

但你必须现在死去，你愿意吗？""我都死了，要全世界的财富干什么？"老者说："这就对了，你现在这么年轻，生命力旺盛，就等于拥有全世界最宝贵的财富，又怎能说自己穷呢？"年轻人一听，又找回了对生活的信心.

美国心理学家艾里斯曾提出一个叫"情绪困扰"的理论. 他认为，引起人们情绪结果的因素不是事件本身，而是个人的信念. 所以，许多在现实中遭遇挫折的人，往往认为"自己倒霉"，"想不通"，这些其实都是本人的片面认识和解释，正是这种认识才产生了情绪的困扰. 实际情况是，人们的烦恼和不快，常常与自己的情绪有关，同自己看问题的角度有关. 能否战胜挫折，关键在于自己要有主心骨，任何情况下都不被一时的失意和不快左右，永远怀着希望和信心，就能从逆境和灾难中解脱出来.

再拿前面提到的那个自认为很穷的年轻人来说吧，其实，穷与富只是相对而言，并没有一个客观标准. 一个人即使没有多少物质财富，但他有青春和生命，有奋发进取的精神状态，就不能说他穷. 如果一个人热爱生命，就会感到充实和富有. 概而言之，任何事情都不是绝对的，就看你怎么去对待它.

24

作 业

1. 小竹、小松两人从 A 地，小梅则从 B 地同时出发，相向而行. 小竹的速度为每小时 55 千米，小梅的速度为每小时 45 千米. 出发 4 小时后，小竹与小梅相遇. 又过了 1 小时，小松也与小梅相遇. A、B 两地相距多少千米？小松每小时走多少千米？

2 甲、乙两辆汽车的速度分别为每小时 80 千米和 65 千米，两车同时从 A 地出发到 B 地去，出发 8 小时后，甲车遇到一辆迎面开来的卡车，这时乙车与卡车相距多少千米？又过了 1 小时，乙车也遇到这辆卡车．这辆卡车每小时行多少千米？

3 哈利、罗恩、赫敏三人，哈利每分钟走 60 米，罗恩每分钟走 50 米，赫敏每分钟走 45 米．如果哈利从 A 地，罗恩和赫敏从 B 地同时出发，相向而行．哈利和罗恩相遇 2 分钟后，又与赫敏相遇．当哈利和罗恩相遇时，赫敏和罗恩相距多少米？ A、B 两地间的距离为多少米？

4 东、西两城相距 60 千米．小明从东向西跑，每小时跑 8 千米；小光从西向东走，每小时走 4 千米；小亮骑自行车从东向西，每小时骑行 11 千米．3 人同时动身，途中小亮遇见小光即折回向东骑，遇见了小明又折回向西骑，再遇见小光又折回向东骑，如此不断往返，直到三人在途中相遇为止．则小亮共行了多少千米？

5 老贺、老郭和老刘同时出发，分别以每小时 1 千米、3 千米、1 千米的速度前进．其中老贺从 A 出发往 B 走，另外两人则从 B 出发往 A 走．已知 A、B 两地相距 36 千米，出发多少时间后，老郭正好在老贺与老刘的中点？

第四讲 格点图形面积计算

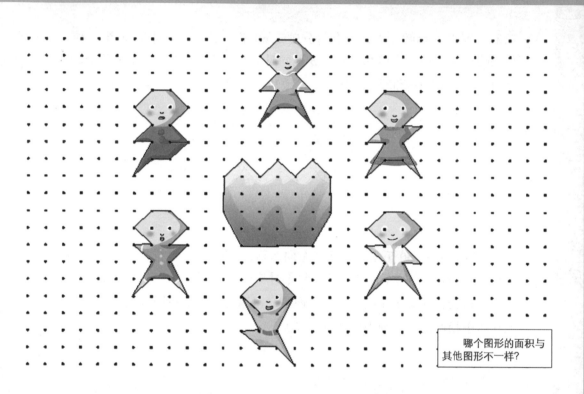

哪个图形的面积与其他图形不一样？

知识树

知识精讲

在平面几何知识中，面积计算是最重要的组成部分之一．我们已经学过了长方形、正方形、平行四边形、三角形和梯形面积公式，你还记得这些公式吗？

这一讲我们将学习格点图形的面积．用线段连结格点围成的封闭图形称之为格点图形．

虽然我们已经学习了基本直线形的面积公式，然而大多数的格点图形都无法直接计算面积，需要我们通过这节课的探索学习去找到方法．常见的格点有正方形格点和三角形格点．

例题 1

图中每个最小正方形的面积都是 1 平方厘米，那么三个阴影图形的面积分别是多少平方厘米？

「分析」这几个多边形都不规则，我们能不能把它们切成很多规则的小块，一块一块地求面积呢？或者给它们添补一些规则的小块，使得它们变成规则可求的大图形．

练习 1

图中相邻两格点间的距离均为 1 厘米，那么阴影图形的面积分别是多少平方厘米？

 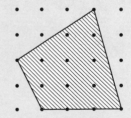

通过例1中的第1小题我们学会了将大块不规则图形"分割"成许多规则的图形，这种方法称为"分割法"；但是不一定每个图形都很容易分割，第2小题我们学会了把不好算的图形"添补"成规则的大图形，计算时用大图形的面积减去空白部分的面积，这种方法称为"添补法".

分割法，正所谓"大事化小"，把不规则的大图形化为规则的小图形.

添补法则正好相反，是"以小见大"，把不规则图形周围添上规则的小图形，使总面积便于计算.

使用割、补法的时候，一般应该从图形的顶点出发，尽量沿着格线划分，以便与小方格的面积找到联系或者利用垂直等性质.

接下来我们用分割、添补的方法计算一下三角形格点图形的面积.

例题2 下图是一个三角形点阵，其中能连出的最小等边三角形的面积为1平方厘米. 那么这五个图形的面积分别为多少平方厘米?

「分析」前三个图是可以直接计算的，④、⑤是无法直接计算的，试着用分割、添补的方法解决吧!

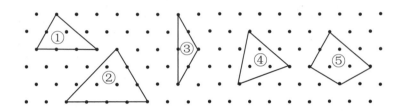

如果一个三角形的两边都沿三角形格线方向，并且分别是最短线段的 m 倍和 n 倍，那么这个三角形的面积就是最小等边三角形面积的 $m \times n$ 倍.

练习2 下图是一个三角形点阵，其中能连出的最小等边三角形的面积为1平方厘米. 那么这四个图形的面积分别为多少平方厘米?

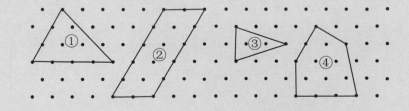

要计算格点图形的面积，我们只需要应用合适的方法，数一下要求的图形占了几个单位面积即可．当单位面积不为 1 时，我们就要格外小心了，务必要在数完后再乘单位面积！

对于所有的格点图形，都可以使用割补法计算面识．但是对于复杂的格点图形，使用割补法会非常繁琐，有没有更简单明了的方法呢？那么我们接下来看一个简单快捷的方法．

例如，我们要计算如右图的格点多边形的面积（假设最小的正方形面积是 1）．我们可以用割补的方法求出图形的面积，现在还有另一种方法，从格点数入手．

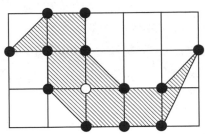

围成阴影部分的边线，经过了一些格点．这些边界上的格点叫做边界格点，一共有 12 个；格点图形还完全盖住了一些格点，这些图形内部的格点叫做内部格点，一共有 1 个．

在最小正方形面积为 1 的正方形网格中，我们有：

> 正方形格点多边形面积 = 边界格点数 ÷ 2 + 内部格点数 − 1

这样，按公式计算：$12 \div 2 + 1 - 1 = 6$，我们就得出图中阴影部分的面积了．

例题 3

如图，相邻两格点间的距离均为 1 厘米，求阴影部分的面积．

「分析」尝试着用格点图形面积公式计算一下吧！先数数边界格点、内部格点分别有多少个呢？

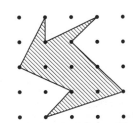

练习 3 如图，每一个最小正方形的面积都是 2，阴影部分的面积是多少？

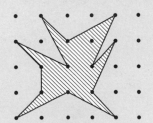

类似地，在最小正三角形面积为 1 的三角形网格中，三角形格点图形也有面积计算公式：

$$\boxed{三角形格点多边形面积 = 边界格点数 + 内部格点数 \times 2 - 2}$$

仔细比较这两个公式，可以发现：三角形格点的公式正好是正方形格点公式的 2 倍．大家想一下，为什么是这样呢？

例题4

如图，每个最小等边三角形的面积都是 1 平方厘米．阴影部分的面积是多少平方厘米？

「分析」尝试着用格点图形面积公式计算一下吧！先数数边界格点、内部格点分别有多少个呢？

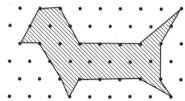

30

练习4

如图，每个最小等边三角形的面积都是 1 平方厘米，阴影部分的面积是多少平方厘米？

例题5

如图，每一个最小正方形的面积都是 3 平方厘米．阴影部分的面积是多少平方厘米？

（1） 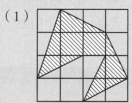　　　（2）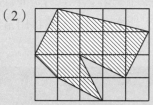

「分析」 试着比较分割法、添补法、公式法，这三个方法哪个更合适呢？

例题6

（1）左图中每个最小正三角形的面积是 2 平方厘米．阴影部分面积是多少平方厘米？

（2）右图中每个最小正三角形的面积是 4 平方厘米．阴影部分面积是多少平方厘米？

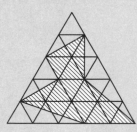　　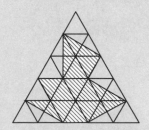

「分析」 试着比较分割法、添补法、公式法，这三个方法哪个更合适呢？

对于大部分格点图形而言，分割法和添补法都可以用来求面积．对于特殊的格点图形，如果不易分割，可以试试添补；如果不易添补，可以试试分割．如果用分割法和添补法都不易解决，那么格点公式就派上用场了！

在使用格点公式时，有以下几点需要注意：

注意是正方形格点还是三角形格点；

按照顺序来数边界格点和内部格点；

用格点公式计算出来的不是面积，而是最小的正方形或正三角形的面积的倍数．

看似这一讲的题目不是很难，怎么保证计算的准确性呢？如果你用分割法计算面积，不妨再用添补法验算一下．如果你用割补法计算面积，不妨再用格点公式算一算．用不同方法得到的都是同样的结果，基本上就不会出错了．

几何的起源

古埃及人聚居在尼罗河附近，以在河边的农田耕作为生．可是尼罗河每隔一段时间会泛滥，河水涌上岸，把河边的农田淹没，冲毁农田的边界．所以，每次河水泛滥后，埃及人都要重新划分农田的范围和界限．

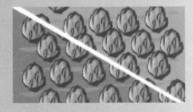

埃及人在划分土地时，发现很多不同形状的农田，都可以分割为几块较细小的三角形农田，例：

1块长方形农田

2块大小相同的三角形农田

1块梯形农田

3块三角形农田

这些不同形状的农田，其实就是不同的几何图形；把农田分割为几块较细小的农田，即是把几何图形分割．原来古埃及人是研究几何图形的先锋呢！

1 如图，每相邻两个格点的距离都是1，那么两个阴影图形的面积分别是 _____、_____.

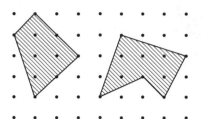

2 下图中三角形点阵所能连出的最小正三角形面积为1，图中两个图形的面积分别是 _____、
_____.

33

3 如图，最小正三角形的面积是4平方厘米，那么阴影部分的面积是 _____ 平方厘米.

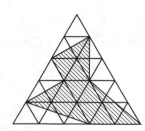

4 右图中，每个最小正方形面积为 2，则图中阴影部分的面积是 _____.

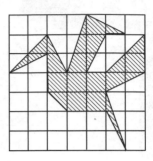

5 下图三角形点阵所能连出的最小正三角形面积为 2，图形的面积是 _____.

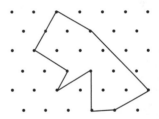

第五讲 割补法巧算面积

知识树

知识精讲

在上一讲中，我们学习了如何计算格点图形的面积，介绍了正方形格点图形和三角形格点图形的面积计算公式．根据公式，我们可以求出正方形格点图形的面积是最小正方形面积的几倍，或者求出三角形格点图形面积是最小正三角形面积的几倍．随着几何学习的步步深入，大家会发现除了用公式法直接求面积之外，还有很多间接求面积的方法．尤其是对于不规则图形，我们并不知道这些图形的面积公式，但是可以把它们通过分割、添补等各种方式变换为规则的图形．

例题 1

图中的数字分别表示对应线段的长度，试求下面多边形的面积．（单位：厘米）

「分析」这是一个不规则图形，我们能不能把它切成很多规则的小块，一块一块地求面积呢？

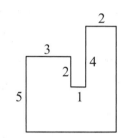

练习 1

图中的数字分别表示对应线段的长度，试求下面多边形的面积．（单位：厘米）

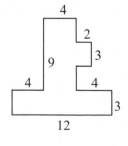

我们可以看到，在没有格点的情况下，割补的方法仍然可以使用．我们将来做几何面积计算时，就要视情况灵活运用割补法．

例题2

如图所示，在正方形 *ABCD* 内部有一个长方形 *EFGH*．已知正方形 *ABCD* 的边长是 6 厘米，图中线段 *AE*、*AH* 都等于 2 厘米．求长方形 *EFGH* 的面积.

「分析」所求长方形的长、宽都是未知且不可求的，但是正方形面积以及周围四个直角三角形面积都是可以计算出来的，那么长方形面积怎么计算呢？

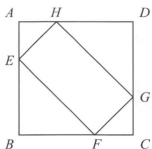

练习2

如图所示，在正方形 *ABCD* 内部有三角形 *CEF*．已知正方形 *ABCD* 的边长是 6 厘米，图中线段 *AE*、*AF* 都等于 2 厘米．求三角形 *CEF* 的面积.

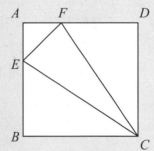

例题3

如图所示，大正方形的边长为 10 厘米．连接大正方形的各边中点得小正方形，将小正方形每边三等分，再将三等分点与大正方形的中心和一个顶点相连，那么图中阴影部分的面积总和等于多少平方厘米？

「分析」阴影部分零零散散，能不能通过割补的方法把它变成规则的图形呢？

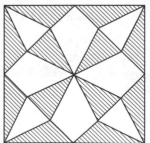

练习3

如图所示，大正三角形的面积为 10 平方厘米．连接大正三角形的各边中点得到四个小正三角形，取各个小正三角形的中心，再将每个小正三角形的中心和顶点相连，得到三个一样的小三角形，那么图中阴影部分的面积总和等于多少平方厘米？

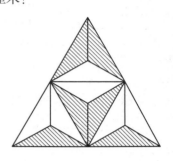

例题 4

如图，把两个相同的正三角形的各边分别三等分和四等分，并连接这些等分点．已知图 1 中阴影部分的面积是 48 平方分米．请问：图 2 中阴影部分的面积是多少平方分米？

「分析」图 1 和图 2 中最小正三角形的面积是不一样的，但两个大正三角形面积却是一样的，你能求出大正三角形的面积吗？

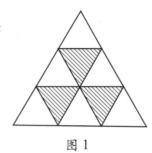
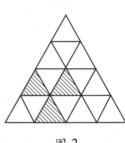

图 1   图 2

练习4

如图，把两个同样大小的正方形分别分成 5×5 和 3×3 的方格表．图 1 阴影部分的面积是 162，请问图 2 中阴影部分的面积是多少？

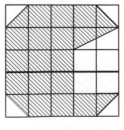
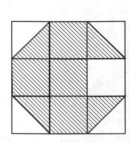

图 1   图 2

　　例题 4 中的阴影部分都是同样形状的花图形，我们不能直接看出花图形和大正三角形的面积之间有什么倍数关系，但是借助一块块小正三角形，我们把花图形和大正三角形之间联系起来，看看它们各自占了多少个小正三角形．找到面积之间的联系，是解决类似问题的钥匙．

　　有些图形看起来没有分割成一些相同的小图形，实际上不过是将分割线隐藏起来或者只出现了其中的一部分，需要我们自己进行分割．

挑战极限

例题 5

　　如图，在两个相同的等腰直角三角形中各画一个正方形，如果正方形 A 的面积是 36 平方厘米，那么正方形 B 的面积是多少平方厘米？

　　「分析」 我们能不能求出大等腰直角三角形的面积呢？它的面积和正方形 A、B 之间有什么关系呢？

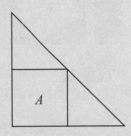

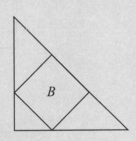

例题 6

　　如图所示，已知一个四边形的两条边的长度和三个角的度数，这个四边形的面积是多少平方厘米？（单位：厘米）

　　「分析」 这个四边形并不规则，直接求面积似乎有些困难．我们已经知道了其中的三个角，其中有直角也有 45° 角．你能从这两种"特殊角"发现图形的特点吗？

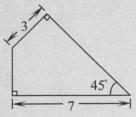

毕式定理

据说毕达哥拉斯有次应邀参加一位富有政要的餐会，这位主人豪华宫殿般的餐厅铺着美丽的正方形大理石地砖．由于大餐迟迟不上桌，这些饥肠辘辘的贵宾颇有怨言，但这位善于观察和理解的数学家却凝视脚下这些排列规则、美丽的方形瓷砖，不过毕达哥拉斯不仅仅是欣赏瓷砖的美丽，而是想到它们和数之间的关系，于是拿了画笔并且蹲在地板上，选了一块瓷砖以它的对角线 AB 为边画一个正方形，他发现这个正方形面积恰好等于两块瓷砖的面积和．他很好奇……于是再以两块瓷砖拼成的矩形之对角线作另一个正方形，他发现这个正方形之面积等于 5 块瓷砖的面积，也就是以两股为边作正方形面积之和．至此毕达哥拉斯作了大胆的假设：任何直角三角形，其斜边的平方恰好等于另两边平方之和．那一顿饭，这位古希腊数学大师，视线一直都没有离开地面．

这就是著名的毕式定理：在任何一个直角三角形中（等腰直角三角形也算在内），两条直角边的长度的平方和等于斜边长度的平方．

实际上，早在毕达哥拉斯之前，许多民族已经发现了这个事实，而且巴比伦、埃及、中国、印度等的发现都有真凭实据，有案可查．相反，毕达哥拉斯的著作却什么也没有留传下来，关于他的这个故事都是后人辗转传播的，可以说真伪难辨．这个现象的确不太公平，之所以这样，是因为现代的数学和科学来源于西方，而西方的数学及科学又来源于古希腊，古希腊流传下来的最古老的著作是欧几里得的《几何原本》，而其中许多定理再往前追溯，自然就落在毕达哥拉斯的头上．他常常被推崇为"数论的始祖"，而在他之前的泰勒斯被称为"几何的始祖"，西方的科学史一般就上溯到此为止了．至于希腊科学的起源只是近一二百年才有更深入的研究．因此，毕达哥拉斯定理这个名称一时半会儿改不了．不过，在中国，因为我们的老祖宗也研究过这个问题，称之为商高定理，更普遍地则称为勾股定理．中国古代把直角三角形中较短的直角边叫做勾，较长的直角边叫做股，斜边叫做弦．

作业

1 右图中的数字分别表示对应线段的长度，图中多边形的面积是多少？

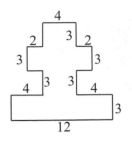

2 如右图所示，在正方形 *ABCD* 内部有梯形 *EHGF*. 已知正方形 *ABCD* 的边长是 6 厘米，图中线段 *AE*、*AH*、*BF*、*DG* 都等于 2 厘米. 则梯形 *EHGF* 的面积是多少平方厘米？

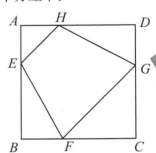

3 如图所示，平行四边形的面积是 12，把一条对角线四等分，将四等分点与平行四边形另外两个顶点相连. 图中阴影部分的面积总和是多少？

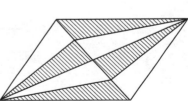

4 右图中空白部分的面积是 100，那么阴影正方形的面积是多少？

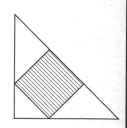

5 如图所示，正六边形 *ABCDEF* 的面积是 36. 阴影正六边形的面积是多少？

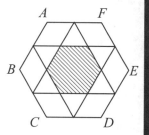

知识树

知识精讲

我们已经学过了不少数字谜,这一讲我们来看看写成横式的数字谜.

和竖式问题相比,横式问题的已知条件比较少,因此如何充分利用已知条件是我们非常关心的问题.竖式问题常见的突破口在横式问题中仍然可以使用,比如尾数分析、首位估算等等.和竖式问题相比,位数信息的重要性大大加强,估算的方法在横式问题中尤为重要.某些横式问题,可以转化为竖式问题求解;对于较复杂的多个横式问题,一般从约束条件较多、可能性较少的算式入手.

例题 1

请在下面两个算式的方框中填入适当的数字,使得等式成立,并且算式中的数字关于等号左右对称.

(1) $12 \times 23\,\Box = \Box\,32 \times 21$;　　(2) $\Box\,4 \times 6153 = 3516 \times 4\,\Box$.

「分析」算式两边关于等号对称,所以两边空格里填的数字应该相同.如果把所有可能的填法都枚举出来再一一验算,比较麻烦.等号左右的结果相同,因此这两个乘积的末位数字应该是一样的.你能知道乘积的末位数字应该是多少吗?

44

练习1 请在下面算式的方框中填入适当的数字，使等式成立，并且算式中的数字关于等号左右对称．

$$\square 8 \times 891 = 198 \times 8 \square$$

上面的例题中，我们看到，通过尾数分析我们能确定某个位置上数的可能性，这样能够大幅度减少试算的次数．这是数字谜最常用的突破口．除了从末位入手，我们有时也从首位入手进行估算．估算的方式在乘除法横式问题中的应用更为广泛．

例题2 满足等式 $\square\square\square\square \times \square = 8888\square$ 的四位乘数是多少？

「**分析**」这是四位数乘一位数得到一个五位数，并且这个五位数的首位比较大，你能估算出一位乘数是多少吗？

练习2 满足等式 $\square\square\square\square \times \square = 8765\square$ 的四位乘数是多少？

对于多位数四则运算，我们通常都习惯列竖式来计算，因此对横式问题中出现的多位数计算，我们也常常将横式改写成竖式，从中寻找突破口．

例题3 请将下面的乘法算式补充完整．使得等式成立．

$$63 \times \square\square = 4\square\square 9$$

「**分析**」先根据横式把具体的竖式改写出来，然后再从末位、首位等突破口一一分析．

练习3 请将下面的乘法算式补充完整．使得等式成立．

$$57 \times \square\square = 5\square\square 1$$

前面的例题都只是形式比较简单的横式问题．还有一些连等式问题，我们常常以乘除法等式以及特殊数字"0"作为突破口．

例题4

将 0、1、2、3、4、5、7 这 7 个数字分别填入下面算式的七个空格内（每个数字只许用一次），使算式成立．

$$\square\square + \square = \square \times \square = \square\square$$

「分析」0 最特殊，你能推断出 0 应该在哪个位置吗？

46

练习4 将 0、1、2、3、4、5 这 6 个数字分别填入下面算式的 6 个空格内，每个数字只能用一次，使得算式成立．

$$\square + \square = \square\square \div \square = \square$$

在字母算式中，反复出现的相同字母往往也是突破口．很多时候我们还需要应用假设否定的方法，进行分情况计算．

挑战极限

例题 5

在乘法算式 $\overline{ABC} \times \overline{ABC} = \overline{ABDBD}$ 中，相同的字母代表相同的数字，不同的字母代表不同的数字．请问：最后的乘积是多少？

「分析」 先试着从末位和首位入手，哪一边比较好呢？三位数乘三位数计算比较复杂，大家可以列竖式来试试看，注意在字母算式中，反复出现的字母往往是突破口．

对于多个等式的问题，我们就要从约束条件多、可能性较少的等式入手分析，我们常常以乘除法等式作为突破口．

例题 6

将 1 至 9 这 9 个数字分别填入下面四个算式的方框中（每个数字只能用一次），使得四个等式都成立．

$$\begin{cases} \square - \square = 1 \\ \square + \square = 9 \\ \square\square \div \square = 9 \\ \square \times \square = 9 \end{cases}$$

「分析」 哪个算式填法最少？我们就从它开始考虑．这个算式填完之后，剩下的三个算式，哪个可能的填法最少？

课堂内外

数字入诗 奇趣无穷

对大多数人而言，数字往往是枯燥无味的. 可是，当那些单调的数字被巧妙地运用到诗中后，却往往会变得十分形象生动，使全诗妙趣横生，竟能化平淡为奇趣. 平添了许多魅力.

数字入诗，用的最多的是"一"字. 如"朝辞白帝彩云间，千里江陵一日还"、"离离原上草，一岁一枯荣"、"忽如一夜春风来，千树万树梨花开"等等. 这不仅能使数字获得新的生机，显示出浓厚的数趣，而且又能变抽象为具体，别具情趣，也产生浓厚的诗趣，增添了诗歌的艺术感染力.

唐代王建《古谣》是这样写的：一东一西陇头水，一聚一散天边路. 一来一去道上客，一颠一倒池中树.

四个反义词加上八个"一"字，来说明从西到东的流水，分分合合的道路，来来去去的行人，一正一反的倒影，既形象生动，又充满哲理.

当然，诗人运用数字，决不是随心所欲的，而是力求用得意达声谐，收到浑然天成之效.

杜甫《绝句》中的两句诗写道："两个黄鹂鸣翠柳，一行白鹭上青天."

诗中遣用数字"两"、"一"，别具匠心. 试想：翠柳丛中，黄鹂双栖，和鸣相亲，是何等的幸福快乐！如果是"一"个，则形单影只，孤寂难鸣，也就不会有你呼我应的幸福；若是"几"个，你吵我闹，鸣声错乱，也就破坏了宁静闲适的快乐；只有"两个"，雌雄双栖，和鸣相亲，情深深、意绵绵，那份幸福和快乐才令人向往. 蓝天下，白鹭高翔，连成一线，青白交融，色彩绚丽，一个"一"字，把白鹭的"小"与青天的"大"对比起来，形成了幽邃、静谧的意境.

由此看来，枯燥的数字一旦到了诗人的笔下，就会迸发出鲜活的生命力.

作业

1 请在算式的方框中填入适当的数字，使等式成立，并且算式中的数字关于等号左右对称.

$$64 \times 25 \square = \square 52 \times 46$$

2 在算式 8□□2÷38 =□1□ 的四个方框中填入适当的数字，使得等式成立．（写出所有可能的答案）

3 已知 $\overline{ABCD} \times D = \overline{DCB1}$，其中相同的字母代表相同的数字，不同的字母代表不同的数字，那么 $\overline{ABCD} + \overline{DCBA}$ 等于几？

4 在算式 $3 \times \square\square = \square\square\square$ 的 5 个空格中，分别填入 0、1、2、3、4 这 5 个数字，使算式成立．

5 将 1 至 8 这 8 个数字填入下面算式的方框中（每个数字只能用一次），使得两个等式都成立，其中 5 已经填好．

$$\square \times \square = 5\square ; \qquad \square \times \square = \square\square$$

第七讲 平均数问题

知识树

知识精讲

四年级举行了一次数学测验,其中一班总分2000分,二班总分1800分,那一班成绩是不是就比二班的好呢?这显然不一定,一班总分高有可能是因为人多.如果一班总共25人,而二班只有20人的话,哪个班的成绩更好呢?

要回答上面这个问题,就必须用到平均数.

$$平均数 = 总量 \div 个数$$

大家算算两个班的平均分,哪个班的成绩更好呢?

下面我们来练一练如何解决最基本的平均数问题.

练一练

(1)请求出这5个数的平均数:7、40、45、60、83.

(2)甲、乙、丙、丁四个小队拾松果,甲队拾40千克,乙队拾20千克,丙队拾60千克,丁队拾30千克.请问四个小队平均每队拾多少千克?

例题 1

苹果汁的市场价为每千克 10 元，芒果汁的市场价为每千克 30 元，桃汁的市场价为每千克 20 元．某果汁生产商用 200 千克苹果汁、100 千克芒果汁以及 200 千克桃汁制作成 500 千克混合果汁，那么这种混合果汁的价钱应该是每千克多少元？

「分析」大家仔细想想，本题是求 10、30、20 这三个价格的平均数吗？

练习 1

萱萱在商场买了 3 斤水果糖、1 斤花生糖和 2 斤奶糖．已知水果糖每斤 8 元，花生糖每斤 7 元，奶糖每斤 10 元．请问：萱萱买的糖果平均每斤多少元？

52

注意，"平均价格"不是"价格的平均数"．

$$平均价格 ＝ 总价格 ÷ 总重量$$

在例题 1 中的三种果汁，我们就可以这样计算平均价格：

平均价格 ＝（价格 1× 重量 1＋ 价格 2× 重量 2＋ 价格 3× 重量 3）÷（重量 1＋ 重量 2＋ 重量 3）．

在整数巧算中，基准数法是一个非常有用的巧算方法．在平均数计算中我们仍然可以使用．

例题 2

求下列 10 个数的平均数：235、239、233、238、234、236、232、236、237、234．

「分析」这 10 个数的总和怎么计算？大家不妨回忆一下之前学过的基准数法．

练习2 请求出 103、109、105、101、110、102、106、104 这 8 个数的平均数.

例题 2 中如果把 235 加上 10 变成 245，这时 10 个数的平均数比原来的平均数变化了多少呢？

当个数不变时，平均数与总数的变化有如下关系：

$$\text{总量的变化} = \text{平均数的变化} \times \text{个数}$$

$$\text{平均数的变化} = \text{总量的变化} \div \text{个数}$$

例题3 四年级某尖子班有 20 人，平均体重是 35 千克．小山羊施展了一种魔法，把其中一个同学的体重变成了 80 千克，全班的平均体重就变成了 37 千克．请问这个同学原来的体重是多少千克？

「分析」平均体重从 35 变成了 37，增加了 2 千克，那么说明所有人的总体重增加了多少千克呢？

练习3 教室里有 20 名学生，平均身高为 1.65 米．下课铃响时，一名同学立刻冲出教室，随后进来一名身高 1.8 米的老师，这时教室里 20 个人的平均身高变成 1.66 米．那么冲出教室的这名同学身高多少米？

当个数发生变化时，我们仍然可以由平均数与个数求出总量．同学们再思考一下，个数发生变化后，前后两次平均数的差与个数的变化有什么关系？

例题 4

教室里有 8 名学生，他们的平均体重是 48 千克．后来教室里走进来一个老师，这时 9 个人的平均体重是 50 千克，请问老师的体重是多少千克？

「分析」9 个人的总体重比 8 个学生的总体重多多少千克？这个差与进来的老师有什么关系？

练习 4

四年级一班有 6 名女学生，她们的平均身高是 150 厘米．后来有一名女生走进教室，这时 7 人的平均身高就变成 148 厘米．请问：进来的女生身高是多少厘米？

所谓平均，从操作上讲就是一个"移多补少"的过程：将较多的拿出一些来，补给较少的，最后大家都一样了，就平均了．接下来我们就来学习如何利用"移多补少"的思想解决较复杂的多组对象的平均数问题．

在"移多补少"的过程中，总量是不变的，这是解题的关键．

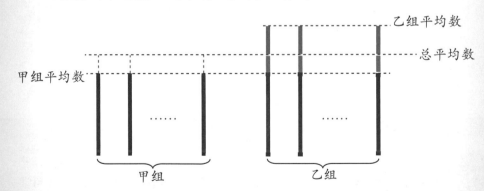

如上图所示，我们用左边高度相同的粗线表示甲组的平均数，右边高度相同的粗线表示乙组的平均数，粗线数就代表个数．那么所有粗线的高度之和就等于总量．根据总量不变，我们把乙组比总平均数多的那部分（红色粗线）拿出来，就可以恰好平均分给甲组（红色虚线），就有：

$$（总平均数-甲组平均数）\times 甲组个数 = （乙组平均数-总平均数）\times 乙组个数$$

红色虚线总高度　　　　　　　　　　红色粗线总高度

如果把乙组比甲组多的部分（彩色粗线）拿出来，就可以恰好平均分给两组所有个体，得到总平均数，就有：

$$（总平均数-甲组平均数）\times 总个数 = （乙组平均数-甲组平均数）\times 乙组个数$$

挑战极限

例题 5

甲、乙两个班参加了一次考试，甲班有 64 人，乙班有 48 人. 已知乙班的平均分是 289 分，甲班和乙班的总平均分是 285 分，求甲班的平均分.

「分析」两组平均数之间的关系，大家试着画出"移多补少"图进行分析.

例题 6

魔界有两类人，分别是精灵人和矮人. 精灵人有 25 人，矮人有 75 人. 精灵人和矮人的总平均身高是 60 厘米，如果精灵人的平均身高比矮人的平均身高高 20 厘米，那么矮人的平均身高是多少厘米?

「分析」两组平均数之间的关系，大家试着画出"移多补少"图进行分析.

骗人的平均数

刘木头开了一家小工厂，生产一种儿童玩具. 工厂里的管理人员由刘木头、他的弟弟及其他六个亲戚组成. 工作人员由 5 个领工和 10 个工人组成. 工厂经营得很顺利，现在需要一个新工人. 现在，刘木头来到了人才市场，正与一个叫小齐的年青人谈工作问题.

刘木头说："我们这里报酬不错. 平均薪金是每周 300 元. 你在学徒期间每周得 75 元，不过很快就可以加工资."

课堂内外

课堂内外

小齐上了几天班以后，要求和厂长刘木头谈谈.

小齐说："你骗我！我已经找其他工人核对过了，没有一个人的工资超过每周 100 元. 平均工资怎么可能是一周 300 元呢？"

刘木头皮笑肉不笑地回答："小齐，不要激动嘛. 平均工资确实是 300 元，不信你可以自己算一算."

刘木头拿出了一张表，说道："这是我每周付出的酬金. 我得 2400 元，我弟弟得 1000 元，我的六个亲戚每人得 250 元，五个领工每人得 200 元，10 个工人每人 100 元. 总共是每周 6900 元，付给 23 个人，对吧？"

"对，对，对！你是对的，平均工资是每周 300 元. 可你还是骗了我." 小齐生气地说.

刘木头说："这我可不同意！你自己算的结果也表明我没骗你呀."

接着，刘木头得意洋洋地拍着小齐的肩膀说："小兄弟，你的问题是出在你根本不懂平均数的含义. 怪不得别人呦."

小齐气得说不出话来，最后，他一跺脚，说："好，现在我可懂了，我不干了！"

在这个故事里，狡猾的刘木头利用小齐对统计数字的误解，骗了他. 小齐产生误解的根源在于他不了解平均数的确切含义。

"平均"这个词往往是"算术平均值"的简称. 这是一个很有用的统计学的度量指标. 然而，如果有少数几个很大的数，如刘木头的工厂中有了少数高薪者，"平均"工资就会给人错误的印象.

类似地会引起误解的例子有很多. 譬如，报纸上报道有个人在一条河中淹死了，这条河的平均深度只有 2 尺. 这不使人吃惊吗？不！你要知道，这个人是在一个 10 多尺深的陷坑处沉下去的.

作业

1 求以下十个自然数的平均数.

$$93,\ 87,\ 92,\ 93,\ 89,\ 87,\ 88,\ 91,\ 93,\ 92.$$

2 超市将 100 千克巧克力糖、50 千克棉花糖和 50 千克 QQ 糖放在一起当作混合糖卖，已知巧克力糖每千克 80 元，棉花糖每千克 10 元，QQ 糖每千克 15 元，那么混合糖每千克应该卖多少元？

3 老师在黑板上写了 8 个自然数，它们的平均数是 50，若把其中的数字 10 改为另一个数，平均数变为 60，那么改动后的数是多少？

4 森林中七个小矮人的平均身高是 90 厘米，后来白雪公主来了，这时，八个人的平均身高是 99 厘米，那么白雪公主的身高是多少厘米？

5 有一群老虎和一群狮子生活在一起，狮子有 12 只，平均每只狮子每天吃 30 斤肉；老虎有 20 只，且所有的老虎、狮子平均每只每天吃掉 25 斤肉，那么平均每只老虎每天吃多少斤肉？

第八讲 复杂数阵图

珠宝首饰便宜卖啦!

这样算不太对吧?

每条直线上有4颗红宝石和2颗蓝宝石,一共有5条直线,就是有20颗红宝石和10颗蓝宝石.

这天,红狐狸在青青草原摆了个地摊,叫卖各种首饰.

知识树

知识精讲

较复杂的数阵图往往给人感觉可能性太多，不知道该怎么去试．而寻找特殊对象可以帮助我们从纷繁复杂的条件中找到最关键的环节进行突破．那什么样的对象在数阵图中可以算特殊呢？比如数阵图要填的若干数中最大或者最小的就算特殊；奇偶性与别的数不同的也算特殊；数阵图中重数最多或最少的空格也算特殊……一个对象只要有与众不同的地方就是特殊．至于什么样的特殊对解题有用，那还得看题目本身．但只要你有一双发现特殊的慧眼，总可以找到那个对解题最有用的"特殊"．

例题 1

请将 1 ~ 10 填入图中的 10 个圆圈中（其中两个数已经填好），使得除了第一行外每个圆圈内的数都等于与它相连的上方两个圆圈内的两数之差．

「分析」根据已有的数字 9，图中哪两个圆圈已经可以填出来了？剩下的数中，谁最特殊？

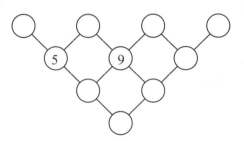

练习 1

请将 1~8 填入下图的 8 个方格中，使得 a、b、c、d 四个方格中的数，恰好等于它上方与之有公共边的两个方格中所填数的差．其中 b 填 7．那么 d 填几？

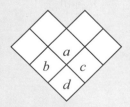

接下来我们重点学习一下数阵图分析中与"重数分析"有关的一些方法．在已知全部填入数字的情况下，我们通常是把所有相同的和相加，根据每一个数字的重复次数来找出其中的特殊重数，是解题的关键．

例题 2

将 1~9 填入图中的九个圆圈内，使四条直线上三个圆圈内所填数之和都是 15.

「分析」 如果把四条直线的和加起来，每个圆圈各加了多少次？它们的重数一样吗？哪个圆圈的重数比较特殊？这个重数特殊的位置必须填几？

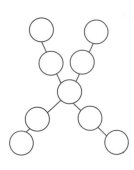

练习 2

把 1~8 这八个数填入下边的圆圈内，使得每条直线上的数之和都等于 14.

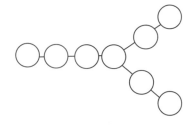

例题 3

把 1~7 这七个数填入下图中的方框中，使得每条直线上的三个数之和都相等．如果中心方框内填的数相同，那么就视为同一种填法．请填出所有的可能性．

「分析」 如果把三条直线的和加起来，每个方框各加了多少次？它们的重数一样吗？哪个方框的重数比较特殊？这个重数特殊的位置可以填几？有几种可能？

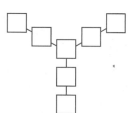

练习3 把 1~9 这九个数填入图中的圆圈内，使得三条直线上的所有数之和都相等．请至少填出两种情况．

例题4 将 1、2、3、4、5、6、7 填入图中的小圆圈内，使得每个圆周上的 3 个数之和与每条直线上的 3 个数之和都相等．

「分析」如果把两个圆周的和与三条直线的和加起来，每个圆圈各加了多少次？它们的重数一样吗？哪个圆圈的重数比较特殊？这个重数特殊的位置必须填几？

练习4 如图所示，将 1、2、3、4、5、6、7、8、9 填入图中的小圆圈内，使得圆周上的 4 个数之和与每条直线上的 3 个数之和都相等，那么这个和是多少？

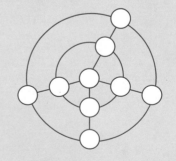

前面几个例题只有一个特殊格，那么接下来我们来看一下有多个特殊格、多种重数的题目．

挑战极限

例题 5

图中一共有 10 个方格，现在把 10 个连续的自然数填到里面（9 是这 10 个自然数中第三大的），每个方格填一个．如果要求图中的 3 个 2×2 的正方形中的 4 个数加起来的和都相等，那么这个和最小可能是多少？请给出一种填法．

「分析」 如果把三个正方形"加起来"，共 12 个数相加，相当于把每个方格各加了几次？由此你能得到什么结论？

例题 6

下图中有三个圆环，将 1 ~ 8 填入图中的 8 个圆圈内，使得每个圆环上 4 个圆圈内的数字之和都相等．那么这个和最大可能是多少？请给出一种填法．

「分析」 把三个圆周和加起来，图中的 8 个〇有几种不同的重数？由此你能得到什么结论？

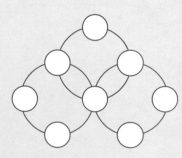

阵

中国古代作战是非常讲究阵法即作战队形的，称之为"布阵"．布阵得法就能充分发挥军队的战斗力，克敌制胜．

中国古代军事史上有名的作战阵法有三种：

八阵：战国时大军事家孙膑创造，据说是受了《易经》八卦图的启发，所以又称八卦阵．具体阵势是大将居中，四面各布一队正兵，正兵之间再派出四队机动作战的奇兵，构成八阵．八阵散布成八，复而为一，分合变化，又可组成六十四阵．当年诸葛亮还用石头在四川奉节布设过八阵的方位，作为教练将士演习阵法之用，名为"八阵图"．

撒星阵：南宋名将岳飞破金兵"拐子马"的阵法．撒星阵的队形布列如星，连成一排的"拐子马"冲来时士兵散而不聚，使敌人扑空．等敌人后撤时散开的士兵再聚拢过来，猛力扑击敌人，并用刀专砍马腿，以破"拐子马"．

鸳鸯阵：明代将领戚继光为抗击倭寇而创设的一种阵法．他把士兵分为三队，当敌人进到百步时第一队士兵发射火器；敌人进到六十步时士兵发射弩箭；敌人进到十步时第三队士兵用刀矛向敌人冲杀．

这些变化反映了中国作战阵法从传统的方阵向多兵种的集团阵法演变的过程．

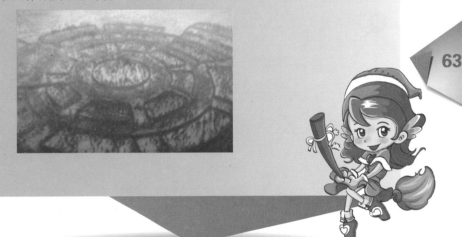

作业

1. 请将 2~9 填入下图的 8 个方格中，使得 a、b、c、d 四个方格中的数，恰好等于它上方与之有公共边的两个方格中所填数的差．其中 b 填 7．

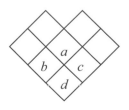

2 将 1、3、5、7、9、11、13 填入下图中的小圆圈内，使得每个圆周上的 3 个数之和与每条直线上的 3 个数之和都相等.

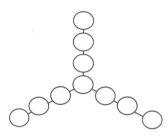

3 把 1 至 10 填入下图的圆圈内，使得每条直线上的 4 个数之和都等于 23.

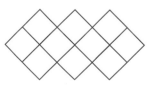

4 将 2 至 8 填入下图的圆圈中，使得每条直线上的所有数字之和都相等.

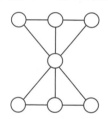

5 图中一共有 10 个方格，现在把 10 个连续的自然数填到里面（9 是这 10 个自然数中第三大的），每个方格填一个. 如果要求图中的 3 个 2×2 的正方形中的 4 个数加起来的和都相等，那么这个和最大可能是多少？请给出一种填法.

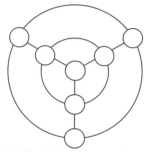

知 识 树

知 识 精 讲

开篇漫画中，小高要想说对口诀还真不容易！我们学过乘法原理，口诀第一个字有 6 种说法，第二个字有 5 种说法，依此类推，口诀这六个字有 $6×5×4×3×2×1=720$ 种排法．我们也可以这样理解：只有把口诀这六个字按照正确的顺序排列好，才能练成高思神掌．把六个字排成一列，就是我们这一讲要学习的排列．

排列公式：

从 m 个不同的元素中取出 n 个（$n \leq m$），并按照一定的顺序排成一列，其方法数叫做从 m 个不同元素中取出 n 个的排列数，记作 A_m^n，它的计算方法如下：

$$A_m^n = \overbrace{m×(m-1)×\cdots×(m-n+1)}^{\text{从}m\text{开始递减地连乘}n\text{个数}}$$

比如，从 1、2、3、4 中挑两个数字组成一个两位数，十位上有 1、2、3、4 这 4 种选择，十位选定后，个位可以从剩下的三个数字中选，有 3 种选择．根据乘法原理可以知道，这样的两位数有 $4×3=12$ 个．我们也可以这样理解，要组成两位数相当于从 1、2、3、4 中挑两个数字排成一行，有 $A_4^2=4×3=12$ 种排法，所以这样的两位数有 12 个．

关于排列数的计算，再给大家举几个例子：

$A_5^4=5×4×3×2=120$（从 5 开始递减地连乘 4 个数）；

$A_8^3=8×7×6=336$（从 8 开始递减地连乘 3 个数）；

$A_{100}^1=100$（从 100 开始递减地连乘 1 个数）．

例题1

计算：（1）A_4^2；（2）A_{10}^4；（3）$A_6^4 - 3 \times A_6^2$.

「分析」直接用公式计算，注意要从几开始乘，连乘几个数.

练习1

计算：（1）A_7^3；（2）$A_5^3 - A_5^2$.

生活中的许多问题其实就是排列问题. 例如，你回家后，发现桌上有牛奶糖、巧克力和水果糖各一颗，你会按照什么顺序来吃这三种糖？先吃哪个再吃哪个，有多少种方式呢？这其实就是一个排列问题.

例题2

小高、墨莫、卡莉娅和宣萱四个人到野外郊游，其中三个人站成一排，另外一个人拍照，请问：一共会有多少张不同的照片？

「分析」本题要站成一排，顺序有没有影响？"小墨卡"和"墨卡小"表示的是同一张还是两张不同的照片？

练习2

有 5 面不同颜色的小旗，任取 3 面排成一行表示一种信号，一共可以表示出多少种不同的信号？

拍聚会照

赵项和童学是好朋友．一天，童学的父母带着童学和赵项出去游玩．赵项酷爱摄影，提出要给童学拍全家福，童学一家以为只拍一张照片，就同意了．结果赵项要求童学一家在 6 个不同景点，按照"爸爸、童学、妈妈"、"妈妈、童学、爸爸"等 6 种排列方式全拍一遍，且每次拍照时每个人的动作都不一样．童学一家非常厌烦，但既然同意拍照了就只能硬着头皮拍完这 6 张照片．

一个月之后，班里有十人左右的同学聚会．童学说："咱们让赵项来拍聚会照吧！"同学们应声附和，赵项一听，撒腿就跑，心想："还不得累死我啊！"

与排列问题相对，生活中也存在着许多不需要排序的问题．例如，开运动会了，老师要选出一部分同学组成拉拉队，那么从全班同学中选出的这部分人有多少种可能呢？从全班同学中选出的这部分人，并不需要进行排序，这其实就是一个组合问题．

比如，要从 1、2、3、4 中挑两个不同的数，这时挑出 1、2 与挑出 2、1 都是一样的，挑出 1、3 与挑出 3、1 也是一样的．换句话说，能组成的两位数有 A_4^2 个，但每两个数字可以对应 $A_2^2 = 2$ 个两位数，在这里只算作同一种挑法．

因此，只是从 1、2、3、4 中挑两个数而不考虑顺序，有 $A_4^2 \div A_2^2 = 12 \div 2 = 6$ 种方法．这就是组合公式的来由．

组合公式：

从 m 个不同元素中取出 n 个（$n \le m$）作为一组（不计顺序），可选择的方法数叫做从 m 个不同元素中取出 n 个不同的组合数，记作 C_m^n，它的计算方法如下：

$$C_m^n = A_m^n \div A_n^n = [m \times (m-1) \times \cdots \times (m-n+1)] \div A_n^n.$$

给大家举几个例子：

从 5 个不同的元素中取出 2 个作为一组，有 $C_5^2 = A_5^2 \div A_2^2 = (5 \times 4) \div (2 \times 1) = 10$ 种不同的方法；

从 5 个不同的元素中取出 3 个作为一组，有 $C_5^3 = A_5^3 \div A_3^3 = (5 \times 4 \times 3) \div (3 \times 2 \times 1) = 10$ 种不同的方法．

例题 3

计算：（1）C_5^3；（2）$C_{10}^3 - 2 \times C_{10}^2$；（3）$C_5^4$，$C_5^1$；（4）$C_{10}^7$，$C_{10}^3$.

「分析」直接用公式计算，注意用公式时每个数字的含义．

练习3 计算：（1）C_8^3 ；（2）$2 \times C_7^3 - C_5^2$ ；（3）C_{10}^8 .

例题4 墨爷爷把 10 张不同的游戏卡分给墨莫和小高，并且决定给墨莫 7 张，给小高 3 张，一共有多少种不同的分法？

「分析」从 10 张中取出 7 张给墨莫，这 7 张的顺序是否有影响呢？应该是排列数还是组合数呢？

练习4 阿呆和阿瓜一起去图书馆借童话小说，发现书架上只剩下 6 本不同的书，于是每人借了 3 本，那么他们一共有多少种不同的借法？

挑战极限

从 1~5 这 5 个数字中选出 4 个数字（不能重复）组成四位数，共能组成多少个不同的四位数？千位是 1 的四位数有多少个？其中比 3000 小的有多少个？

「分析」组 4 位数，其实是要从 5 个数字中选 4 个排成一排，如何用排列数进行计算？千位是多少的数肯定比 3000 小？

例题6

有 3 个人去图书馆借漫画书，发现书架上只剩下 8 本不同的书．于是有 1 个人借了 2 本书，另外 2 个人每人借了 3 本书，那么他们一共有多少种不同的借法？

「分析」我们不妨分步考虑：先让 1 个人借 2 本，然后再让 1 个人借 3 本，最后一个人借剩下的 3 本，那么一共有多少种情况呢？每一步该用排列还是组合呢？

课堂内外

古典小说中的排列组合

一般认为，中国古代社会科学发达，而自然科学和数学则相对落后．不过说中国古代数学落后，也不尽然，像数学中的"排列组合学"就发达得很，甚至渗透到社会各个层面．譬如，古人很早就总结出四象、五行、八卦、十天干、十二地支、十二生肖等等，没有高明的排列组合知识，怎能将这些东西捏在一起？在日常生活中，尤其是饭局上，主座、客座、主陪、副陪等的座位都是不能乱坐一气的，让那些习惯了圆桌会议的外国友人头疼不已．

在中国古典小说中，这种"排列组合学"也是随处可见．在《三国演义》中，这种数学还不甚发达．也就是说刘备阵营有五虎大将，曹营有四大谋士等等．不过民间倒是对演义里的战将武功有一个排名．"一吕二赵三典韦，四关五马六张飞，七许八夏九姜维"．没办法，国人就是对这种排列组合异常着迷．在许多历史和公案小说中，这种数学到了令人眼花缭乱的地步．小说《隋唐演义》在这方面可以说是登峰造极．由于版本众多，各种说法也是热闹纷纭得很，大致有"一王三绝四猛十三杰十八条好汉"这样一个"超强战斗序列"．

除了这样的武功排名的排列组合，在古典小说中还有其他的样式．像《封神演义》第九十九回中，姜子牙一下子封了三百六十五位正神，计有三山五岳、雷火瘟三部、五斗星恶煞、二十八宿、九曜星官、四圣元帅、四大天王等等，将一个天上一个地下给安排得滴水不漏、井井有条，却唯独忘了给自己留个位置．《西游记》中也有"七十二般变化"、"三十六般变化"、"九九八十一难"，看来吴承恩老先生的乘法表学得不错，值得表扬．《红楼梦》里则有四大家族、金陵十二钗、副钗、又副钗等等，也是洋洋大观．

作业

1 计算：（1）A_5^2；（2）$A_7^5 - A_7^2$.

2 计算：（1）C_7^2；（2）$3 \times C_8^2 - 2 \times C_6^2$；（3）$C_{10}^3 \times A_3^3 - A_{10}^3$.

3 海军舰艇之间经常用旗语来互相联络，方式是这样的：在旗杆上从上至下升起 3 面颜色不同的旗帜，每一种排列方式就代表一个常用信号，如果共有 6 种不同颜色的旗帜，那么可以组成多少种不同的信号？

4 要从海淀区少年游泳队的 8 名队员中挑选 3 名参加全国的游泳比赛，有多少种不同的选法？

5 从 3、4、5、6、7 这 5 个数字中选出 3 个数字（不能重复）组成三位数，共能组成多少个不同的三位数？635 是从小到大的第几个数？

第十讲 排列组合应用

知识树

知识精讲

上一讲学习了基本的排列组合公式，本讲主要解决一些实际问题．在解决实际问题时，先要判断出顺序对于问题的结果有没有影响，进而决定应该用排列还是组合来进行计算．

排列和组合的区分在这一讲是我们学习的难点和重点．接下来我们通过一些生活中的例子，进一步来体会一下排列和组合的区别．

例题 1

9 支球队进行足球比赛：

（1）如果实行单循环制，即每两队之间恰好比赛一场．每场比赛后，胜方得 3 分，负方不得分，平局双方各得 1 分，那么一共要举行多少场比赛？ 9 支队伍的得分总和最多为多少？

（2）如果实行双循环制，即每两队之间分主、客场．那么一共要举行多少场比赛？

「分析」每场比赛有两支队伍参加，现在要从几支队伍里挑呢？挑的时候这两支队伍有没有顺序？每场比赛中，两支队伍获得的分数之和最多是多少呢？

练习1

棋王争霸赛在8名选手间展开：

（1）如果实行单循环赛制，共要进行多少场比赛？

（2）如果实行双循环赛制，共要进行多少场比赛？

例题2

围棋兴趣小组一共有8名同学，请问：

（1）如果从中选3名同学在第二天的早上、中午、晚上分别做值日，共有多少种选法？

（2）如果从中选出3名同学去参加一次全市比赛，共有多少种选法？

「分析」同样都是选出3个人，这两个问题之间有什么区别？

74

练习2

一次厨艺大赛中，主办方给定的菜谱中有7道菜，请问：

（1）如果要求从这7道菜中选做2道菜，共有多少种不同的选法？

（2）如果要求从这7道菜中选做1道作为主菜，另外1道作为副菜，共有多少种不同的选法？

全攻全守

某城市的足球队员体力充沛，战绩也不错.

一次比赛前，教练敲定出场名单之后，因临时有事离场一段时间. 回来以后，教练发现比赛早已开始，队员们"全攻全守"，都追着球跑，全队踢球毫无章法.

教练一看就着急了，忙问为什么这样，替补队员说："你只选定了主力队员，却没有给他们分配各自的位置啊. 这不，球到哪儿，人到哪儿！"

从公式：$C_m^n = A_m^n \div A_n^n$，可以看出：$A_m^n = C_m^n \times A_n^n$，所以计算从 m 个元素中选出 n 个元素的排列数时也可以分成两步：先计算从 m 个元素中选出 n 个元素的组合数，再计算这 n 个元素的排列数即可.

接下来我们通过例题看看排列与组合之间有什么联系.

例题 3

王老师带着小高、卡莉娅、萱萱一行四人去参加一次聚会，主持人要求每个人领取一个彩球，这些球的颜色各不相同，共有 12 个.

（1）小高是第一个取球的人，他一共选出了 4 个球，准备回头分给大家，那么一共有多少种选法？

（2）小高回到座位后，把这 4 个球分给大家，一共有多少种分法？

（3）最后他们四人手中拿到的球一共有多少种可能？

「分析」（1）、（2）恰好是（3）的两个步骤，所以不难通过（1）、（2）的结果来计算（3）.（1）、（2）应该按照排列来算还是按照组合来算呢？能不能跳过（1）、（2）直接计算（3）呢？

练习 3

先从 10 名同学中选出 3 人作为班委，再在这 3 人中确定出班长、学习委员和生活委员（一人只能担任一个职位），共有多少种不同的可能？

例题 4

周末大扫除，老师要从 10 名男生和 10 名女生中选出 5 名留下打扫卫生.

（1）如果随意选择，一共有多少种选择方法？

（2）如果老师决定选出 2 名男生和 3 名女生，一共有多少种选择方法？

「分析」（1）是从几名同学中选 5 名？（2）选 2 名男生有几种选法？选 3 名女生有几种选法？

练习4 老师要从9名男生和7名女生中挑出4人参加数学竞赛，共有多少种不同的选择方法？如果4人中要求有3名男生、1名女生呢？

接下来我们学习圆周排列．从 m 个不同的元素中取出 n 个（$n \le m$）元素，并按照一定的顺序排成一个圆周，就是圆周排列．圆周排列与排列的不同之处在于圆周排列是首尾相邻的，旋转后相同的排法视为一种排法．如下图，1、2、3的三种排列：123、231、312，在圆周排列中都是一个排列；另外三种排列：132、321、213，在圆周排列中也是一个排列，而且这两个圆周排列是不同的．

76

挑战极限

例题5

从7个人中选出5个人围着圆桌坐成一圈，有多少种不同的坐法？

「分析」从7个人中选出5个人的圆周排列，还能按照直线上的排列 A_7^5 种方法来计算吗？

在我们组合问题里面，选取出来的和没有选取出来的两个部分之间是否有区别和顺序呢？

（1）6个人分成 *A*、*B* 两队拔河，要求这两队都是3个人，一共有多少种分队的方法？

（2）6个人分成两队拔河，要求每个队都是3个人，一共有多少种分队的方法？

「分析」 这两个问题都是要分成两个队，每个队3个人，有什么区别吗？

杨辉三角

杨辉三角形，又称贾宪三角形，帕斯卡三角形，是二项式系数在三角形中的一种几何排列.

端点数为1的杨辉三角具有如下几个性质：

（1）每个数等于它上方两数之和；

（2）每行数字左右对称，由1开始逐渐变大；

（3）第 *n* 行的数字有 *n* 项；

（4）第 *n* 行数字和为 $(n-1)^2$；

（5）第 *n* 行的第 *m* 个数和第 $n-m$ 个数相等，即 $\mathrm{C}_n^m = \mathrm{C}_n^{n-m}$，这是组合数性质之一；

（6）每个数字等于上一行的左右两个数字之和. 可用此性质写出整个杨辉三角. 即第 *n*+1 行的第 *i* 个数等于第 *n* 行的第 *i*-1 个数和第 *i* 个数之和，即 $\mathrm{C}_{n+1}^i = \mathrm{C}_n^i + \mathrm{C}_n^{i-1}$，这也是组合数的性质之一；

（7）第 *n* 行的 *m* 个数可表示为 C_n^{m-1}，即为从 *n* 个不同元素中取 *m*-1 个元素的组合数.

作 业

① 某班毕业生中有 10 名同学聚会了，他们互相都握了一次手，请问这次聚会大家一共握了多少次手？

② 要从 15 名士兵中选出 2 名分别担任正、副班长，共有多少种不同的选法？

③ 先从 10 名同学中选出 3 人作为班委，再在这 3 人中确定出班长、学习委员和生活委员（一人只能担任一个职位），共多少种不同的可能？

④ 卡莉娅走进一家商店要买些新衣服，现在从她看中的 5 件上衣和 4 条裤子中选出 3 件上衣和 2 条裤子，一共有多少种选法？

⑤ 6 个人围坐在一张圆桌旁，有多少种坐法？

第十一讲 分段计算的行程问题

知 识 树

知 识 精 讲

行程问题主要有三组共 9 个基本公式，它们分别是：

（1）路程 = 速度 × 时间，速度 = 路程 ÷ 时间，时间 = 路程 ÷ 速度；

（2）相遇：路程和 = 速度和 × 时间，速度和 = 路程和 ÷ 时间，时间 = 路程和 ÷ 速度和；

（3）追及：路程差 = 速度差 × 时间，速度差 = 路程差 ÷ 时间，时间 = 路程差 ÷ 速度差.

对于运动过程较为复杂的行程问题，不仅要会灵活运用公式，通过已知的条件求出未知的路程、速度或时间，还要学会分段、比较、从整体考虑等各种辅助手段.

例题 1

小高上学时步行，回家时骑车，路上共用了 24 分钟. 如果往返都骑车，则全程需要 14 分钟. 求小高往返都步行所需要的时间.

「分析」往返都骑车用 14 分钟，那么说明单程骑车用多长时间？单程步行呢？

练习1

萱萱每天都以固定的速度骑车去学校，需要 10 分钟．一天，当行进到全程一半时，自行车坏了，萱萱便把车锁在路边，步行去学校，结果一共用了 15 分钟．如果自行车没办法修好，萱萱每天都得步行，那么去学校需要多长时间？

例题2

甲、乙两人分别从 A、B 两地同时出发相向而行，甲出发 5 分钟后与乙相遇，这时乙走了 500 米．乙又走了 400 米时，甲刚好到达 B 地，这时乙距离 A 地多少米？

「分析」 要是能求出甲、乙两人的速度就好办了，你能求出他们的速度吗？

练习2

甲、乙两地相距 60 千米，快、慢两辆汽车分别从甲、乙两地同时出发相向而行，30 分钟后两车相遇．相遇后两车继续以原速度前进，又经过 20 分钟快车到达乙地．此时，慢车距甲地还有多少千米？

通过上面几道例题，我们发现，对于复杂行程问题，我们一定要学会分段，学会根据分段画行程图．相遇时、追及时、不同时间出发时、转向时等等都是很重要的分段时刻．在解题过程中，我们有时需要分段去考虑，有时需要从整体去考虑，所以一定要灵活解题．

在路程、速度与时间这行程三要素中，有时我们只知道其中的一个量，这时我们就可以通过设份数来解决．此外，我们还经常需要用到以下这三个基本倍数关系：

当运动的速度相同时，时间的倍数关系等于路程的倍数关系；

当运动的时间相同时，速度的倍数关系等于路程的倍数关系；

当运动的路程相同时，时间的倍数关系等于速度的反倍数关系：时间长的速度慢，时间短的速度快．

因此我们往往要仔细分析在同一段时间或者同一段路程中，不同运动对象的运动过程及其联系．

接下来我们来看一下和倍数有关的分段行程问题．

例题 3

早晨 7:30，墨莫从家出发到离自己家 4000 米的表哥家去玩．同时表哥骑车从家出发接他，到墨莫家才发现他已经走了，此时是 7:50，表哥又立即返回去追．表哥骑车的速度是墨莫步行速度的 5 倍．那么，在几点几分时表哥追上墨莫？

「分析」时间相同，速度是 5 倍，那么路程也就是 5 倍了，画出线段图好好比较一下两个人的路程吧！

练习 3

早晨 7:20 阿呆从家步行去学校，7:40 时阿瓜骑自行车出发去学校，在途中追上阿呆后发现自己没拿书包，又立即返回去拿书包，然后再继续去追阿呆．已知阿瓜骑车的速度是阿呆步行速度的 3 倍．那么，在几点时阿瓜第二次追上阿呆？

例题 4

大大和小小同时从家出发去学校，大大步行，小小骑车．小小到学校后发现自己没带文具盒，便立刻骑车回家去取，到家取出文具盒后又马上骑向学校，结果他和大大一起到校．如果大大每分钟走 54 米，那么小小骑车每分钟行进多少米？

「分析」两个人同时从家出发，最后同时到学校，大家试着自己画出线段图，比较一下两个人的路程，能找到什么关系吗？

练习 4

卡莉娅带着宠物小山羊从家出发骑车去学校，当骑到一半路程时，卡莉娅发现忘带午餐费了，于是她让小山羊飞回家取钱，然后再飞回学校给她．结果小山羊跟卡莉娅同时到达学校．已知卡莉娅骑车每分钟行进 155 米，那么小山羊每分钟飞行多少米？

龟兔赛跑

第一次比赛：兔子中途睡觉，结果乌龟赢了．

第二次比赛：兔子不服气，要再赛一次，乌龟也答应了．枪声一响，兔子拼命往前跑．只差一步到终点时，兔子想回头看乌龟到哪了，它刚转过身，就听到乌龟在它后面笑着说："老弟，我在这呐，你又输了．"因为，枪声一响，乌龟就一口咬住了兔子的尾巴．

第三次比赛：兔子更不服气，还要再赛一次，乌龟同样答应了．枪声一响，兔子拼命往前跑，当它冲过终点时，发现乌龟已在终点等它了，原来乌龟这次叫了计程车．

第四次比赛：兔子找到乌龟要再比一次，乌龟说："好呀，地点我来定．"兔子快到终点时傻眼了，原来终点设在河心的小岛上，它实在没办法上去．

第五次比赛：再后来，兔子找乌龟雪耻，乌龟说："线路我选．"兔子说："可以，但全要选山路．"乌龟说；"没问题，三天后比，全程跑完七座山．"比赛那天，兔子每跑到半山腰，都听见乌龟在山顶上喊："兔子加油，我就在你前面．"兔子拼尽全力满怀希望跑到第七座山的山腰，还是那个声音"兔子加油，我就在你前面．"原来乌龟找了 7 个同伴来帮忙了．

83

挑战极限

例题5

自行车队出发 12 分钟后，通信员骑摩托车去追他们，在距出发点 9 千米处追上了自行车队．然后通信员立即返回出发点；到达出发点后通信员又马上掉头去追自行车队，再次追上时恰好离出发点 18 千米．自行车队每分钟行多少千米？摩托车每分钟行多少千米？

「分析」大家试着自己画出线段图，并把关键时刻标注在线段图中，看看能不能算出自行车队 12 分钟经过的路程？能不能找到相同时间内，自行车队与摩托车经过的路程之间有什么关系？

例题6

甲、乙两车分别从 A、B 两地同时出发，相向而行，12 小时后在 C 地相遇．相遇后，两车并不停顿，继续前进．甲车在相遇后继续行驶 4 小时到达 B 地，然后立即掉头以相同的速度返回 A 地．请问：

（1）当甲车再次到达 C 地的时候，乙车还要再开几小时才能到达 A 地？

（2）如果甲车从 B 地返回的时候不是原速返回，而是变慢了．而且当它经过 C 地的时候，乙车正好到达 A 地．甲车原来的速度是返回时速度的多少倍？

「分析」 我们既不知道两车速度的关系，也不知道有关的路程，只知道时间．所以应该搞清楚在每个时间段内，甲、乙各自的路程与速度之间的关系．我们知道，当路程一定时，速度的倍数关系与时间的倍数关系恰好相反．你能求出两车速度的倍数关系吗？

84

课堂内外

分段实现大目标

1984 年，在东京国际马拉松邀请赛中，名不见经传的日本选手山田本一出人意料地夺得了世界冠军．当记者问他凭什么取得如此惊人的成绩时，他说了这么一句话：凭智慧战胜对手．

当时许多人都认为这个偶然跑到前面的矮个子选手是在故弄玄虚．马拉松赛是体力和耐力的运动，只要身体素质好又有耐性就有望夺冠，爆发力和速度都还在其次，说用智慧取胜确实有点勉强．

两年后，意大利国际马拉松邀请赛在意大利北部城市米兰举行，山田本一代表日本参加比赛．这一次，他又获得了世界冠军．记者又请他谈谈经验．山田本一性情木讷，不善言谈，回答的仍是上次那句话：用智慧战胜对手．这回记者在报纸上没再挖苦他，但对他所谓的智慧还是迷惑不解．

10 年后，这个谜终于被解开了，他在他的自传中是这么说的：每次比赛之前，我都要乘车把比赛的线路仔细地看一遍，并把沿途比较醒目的标志画下来，比如第一个标志是银行；第二个标志是一棵大树；第三个标志是一座红房子……这样一直画到赛程的终点．比赛开始后，我就以百米的速度奋力地向第一个目标冲去，等到达第一个目标后，我又以同样的速度向第二个目标冲去．40 多公里的赛程，就被我分解成这么几个小目标轻松地跑完了．其中这样看似简单的小目标却可以实现大的目标，甚至是理想！

作业

1 卡莉娅上学和回家过程中都步行，则路上共用 32 分钟．如果往返都使用魔法飞行，则全程共用 6 分钟．那么她上学时飞行，回家步行，路上共用多长时间？

2 学校与家相距 3500 米，下午 4:50，爸爸从家出发骑车去接小山羊回家．5:00 时小山羊从学校出发往家走，路上遇到爸爸，爸爸骑车带着他一块回到家中．已知爸爸骑车每分钟行 150 米，小山羊步行每分钟走 50 米，请问他们什么时候到家？

3 甲车每小时行 40 千米，乙车每小时行 60 千米．甲车从 A 地、乙车从 B 地同时出发相向而行，两车相遇后 9 小时，甲车到达 B 地，那么 A、B 两地相距多少千米？

4 墨莫和小高同时从学校出发前往少年宫参加科技比赛，墨莫步行，小高骑车．当小高行进一半路程时，发现自己没带学生证，于是骑车回学校去拿，然后马上以原来的速度骑车前往少年宫，结果两人同时到达．已知小高骑车每分钟行进 174 米，那么墨莫每分钟步行多少米？

5 下午 3 点，小强放学了，从学校开始向家走．同时小强家的宠物狗大壮从家出发迎接小强．小强与大壮在距离小强家 1500 米的地方相遇，相遇后大壮立即调头向家跑，跑到家之后再返回迎接小强，在距离小强家 500 米的地方再次与小强相遇．请问小强家到学校的距离为多少米？

第十二讲 面积计算综合

A、B、C、D 4块生长均匀的草地，放牧着生长情况、食量、食速均相同的若干头牛．A可供40头牛吃一天；B可供8头牛吃一天；D可供23头牛吃一天，C草地呢？

知 识 树

知 识 精 讲

我们已经学过了基本直线形面积公式及其反求、等积变形、格点图形面积、割补法巧算面积等几何知识，本讲就是在之前学习的基础上，加强对基本公式、一些常见模型的掌握以及对画辅助线解决几何问题过程的深刻理解，并在此基础上学习勾股定理.

面积计算公式

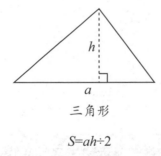

三角形

$S=ah\div2$

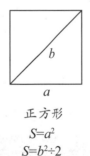

正方形

$S=a^2$

$S=b^2\div2$

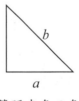

等腰直角三角形

$S=a^2\div2$

$S=b^2\div4$

常见模型

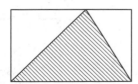

阴影部分面积是长方形（平行四边形）面积的一半

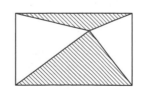

阴影部分面积是长方形（平行四边形）面积的一半

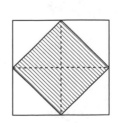

阴影部分面积是大正方形面积的一半

在计算一些不规则图形的面积时，往往需要利用一些技巧把不规则图形变成规则图形来求解．常用的技巧有割补和平移，在割补和平移的同时往往需要连辅助线，画辅助线巧妙地解决问题是几何学习中的重点、也是一大难点．

我们在之前学过的"等积变形"一讲中已经学习过了这一模块中的基本知识点，如下图所示：

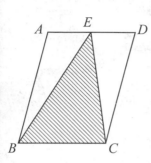 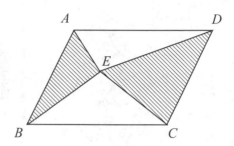

上面两个图形中，阴影部分面积都是其所在平行四边形面积的一半．一些特殊的平行四边形（如长方形、正方形）中存在这样的基本模型．

例题 1

如图，正方形 ABCD 的边长为 4，E 是 BC 上任意一点，DF 与 AE 垂直．已知 AE 长 5，求 DF 的长度．

「分析」已知正方形面积，我们可以计算出哪一块图形的面积呢？

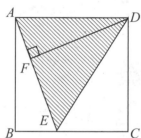

练习 1

如图，长方形 ABCD 的长 BC 为 15，AE=6，DF=10．那么 AB 长多少？

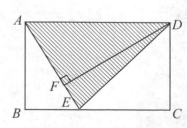

例题2

如图，在长方形 ABCD 中，三角形 ADE 的面积为 20 平方厘米，三角形 BEF 的面积为 12 平方厘米．求三角形 CDF 的面积．

「分析」你能找出图中哪些图形面积是长方形的一半吗？哪些与题目所给的 20、12 以及三角形 CDF 有关系呢？

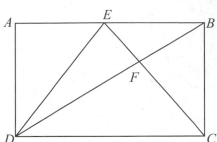

练习2

如图，E、F 分别是平行四边形 ABCD 两条边上的点．已知三角形 AFM 面积为 12，三角形 BNF 面积为 8，三角形 CEN 面积为 11．那么三角形 DEM 的面积是多少？

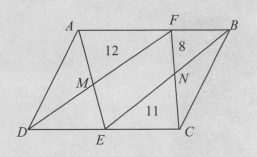

勾股定理

如右图所示的直角三角形 ABC 中，$\angle A = 90°$，直角边 AC 与直角边 AB 长度的平方和等于斜边 BC 长度的平方．即：

$$AC^2 + AB^2 = BC^2$$

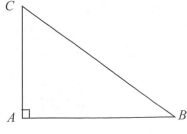

反之，若三角形三边符合上述等式，则此三角形为直角三角形，BC 为斜边．

勾股图与弦图

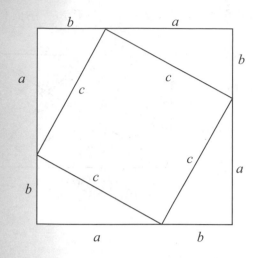 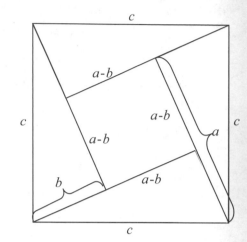

勾股图法：如上左图，小正方形内接于大正方形中，所截得的 4 个全等直角三角形的边长均已标出．大正方形的面积为 $(a+b)^2$，小正方形的面积等于大正方形的面积减去 4 个全等直角三角形的面积．

因此有：$(a+b)^2 - \dfrac{4ab}{2} = a^2 + 2ab + b^2 - 2ab = c^2$，所以 $c^2 = a^2 + b^2$．

弦图法：如上右图，将大正方形分成 4 个全等的直角三角形和 1 个小正方形，各边长均已在图中标出．小正方形的面积加上 4 个全等的直角三角形的面积就等于大正方形的面积．

因此有：$(a-b)^2 + \dfrac{4ab}{2} = a^2 - 2ab + b^2 + 2ab = c^2$，所以 $c^2 = a^2 + b^2$．

练一练

计算出 1^2，2^2，3^2，4^2，$\cdots$，14^2，15^2．观察这 15 个完全平方数，其中三个完全平方数满足 $c^2 = a^2 + b^2$ 的有哪几组？

例题 3

（1）如右图所示，直角三角形 ABC 中，$\angle ABC = 90°$，已知 $AB=5$cm，$BC=12$cm，求 AC 的长度．

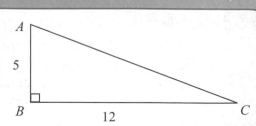

（2）如右图所示，直角三角形 ABC 中，∠ABC=90°，已知 BC=40cm，AC=50cm，求 AB 的长度.

「分析」直接应用勾股定理公式进行计算吧！注意：是 2 次方而不是乘 2 哦！

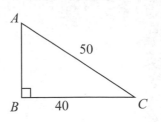

练习3　如图所示，其中 AC 的长为 12，BC 的长为 16，BD 的长是 15，那么 AD 的长是多少？

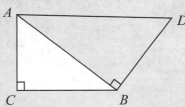

例题4　如图，请根据所给出的条件，计算出大梯形的面积.（单位：厘米）

「分析」要求梯形面积，就必须知道梯形的高，好好思考一下，能根据直角三角形的两条直角边计算出梯形的高吗？梯形的高与直角三角形有什么关系呢？

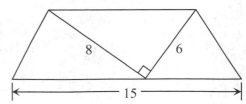

练习4 如图，请根据给出的数据，求出直角三角形的斜边上的高的长度.

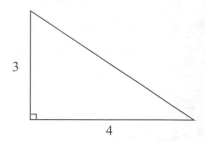

接下来我们看两道比较复杂的题目，要解决它们，我们需要灵活应用前面所学的模型与方法，有时甚至需要我们自己画辅助线构造如上模型.

挑战极限

例题5

如图，四边形 ABCD 和 AEFG 分别是长方形和正方形. 已知正方形的边长是 10，三角形 DFG 的面积是 18. 求长方形 ABCD 的面积.

「分析」你能从这个复杂的图中找出基本的"一半"关系吗？

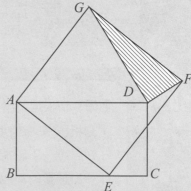

例题 6

如图，四边形 $ABCD$ 各边的长度均已标在图中，其中 $\angle A = 90°$，求四边形 $ABCD$ 的面积．

「分析」有直角，能否应用勾股定理呢？这个图中有直角三角形吗？

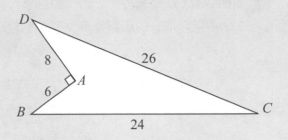

勾股定理

勾股定理，是几何学中一颗光彩夺目的明珠，被称为"几何学的基石"，而且在高等数学和其他学科中也有着极为广泛的应用．正因为这样，世界上几个文明古国都已发现并且进行了广泛深入的研究，因此有许多名称．

中国是发现和研究勾股定理最古老的国家之一．中国古代数学家称直角三角形为勾股形，较短的直角边称为勾，另一直角边称为股，斜边称为弦，所以勾股定理也称为勾股弦定理．在公元前 1000 多年，据记载，商高（约公元前 1120 年）答周公曰："故折矩，以为句广三，股修四，径隅五．既方之，外半其一矩，环而共盘，得成三四五．两矩共长二十有五，是谓积矩．"因此，勾股定理在中国又称"商高定理"．在公元前 7 至 6 世纪一中国学者陈子，曾经给出过任意直角三角形的三边关系即"以日下为勾，日高为股，勾、股各乘并开方除之得邪至日．"

在法国和比利时，勾股定理又叫"驴桥定理"．还有的国家称勾股定理为"平方定理"．

在陈子后一二百年，希腊的著名数学家毕达哥拉斯发现了这个定理，因此世界上许多国家都称勾股定理为"毕达哥拉斯"定理．为了庆祝这一定理的发现，毕达哥拉斯学派杀了一百头牛酬谢供奉神灵，因此这个定理又有人叫做"百牛定理"．

课堂内外

作业

① 如图，ABCD 是长方形，EF 与宽平行，GH 与长平行，AB 的长是 8 厘米，BC 的长是 6 厘米，那么图中阴影部分的面积是多少平方厘米？

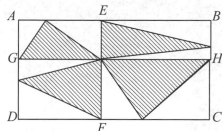

② 如图，已知平行四边形面积为 60 平方厘米，那么长方形面积是多少平方厘米？

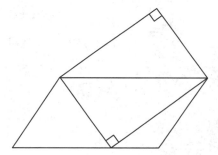

③ 已知甲、乙从同一位置出发，甲往西走了 5 米，乙往南走了 12 米，这时甲、乙相距多少米？

4. 如图，在三角形 ABC 中，$\angle ACB=90°$，$AC=12$，$BC=5$，$AM=AC$，$BN=BC$，求 MN 的长.

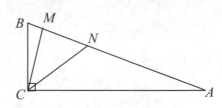

5. 如图，已知大梯形的下底为 35，根据图中给出的条件，请求出大梯形的面积.

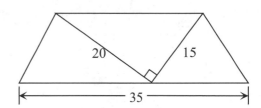

第十三讲 多次往返相遇与追及

知识树

知识精讲

在这一讲中，我们重点学习**直线上不断往返**的行程问题.

在学习新的内容之前，我们先来复习一下原来学过的简单相遇问题与追及问题.

简单相遇与追及

相遇是指两人同时从两个地点出发，向对方所在位置前进，经过一段时间后两人相遇.

追及是指两人从两个地点出发，朝着同一个方向前进，经过一段时间后一个人追上了另一个人.

简单的相遇问题与追及问题的线段图如下所示：

相遇时，两人的路程和是 A、B 两地的距离；追及时，两人的路程差是 A、B 两地的距离.

其实，一般来说，只要两个人运动方向相反，就是相遇问题（包括相向而行和相背而行）；只要两个人运动方向相同，就是追及问题（同向而行包括追上和超过）.

解决行程问题，最基本的方法就是画线段图，寻找相同时间内的路程关系（包括路程和、路程差以及路程的倍数关系）.

不同出发点的往返相遇

甲、乙两人从 A、B 两地同时出发相向而行，在相遇后两人继续前进，分别到达 B 地、A 地后立即折回，这时两人第二次迎面相遇，我们画出线段图如下所示.

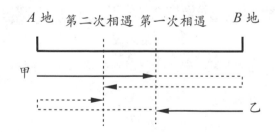

从线段图中可以发现：

当两人第一次迎面相遇时，经过的路程和是 A、B 两地距离（1 个全长）；

当两人第二次迎面相遇时，经过的路程和是 3 个全长；

当两人第三次迎面相遇时，经过的路程和是 5 个全长；

……

即相邻两次相遇之间，两人的路程和恰好等于 2 个全长.

例题 1

小高和墨莫分别从相距 60 千米的 A、B 两地同时出发，在 A、B 之间不断往返骑车．已知小高骑车的速度是每小时 21 千米，墨莫骑车的速度是每小时 9 千米．请问：

（1）出发后多长时间，两人第一次迎面相遇？再过多长时间两人第二次迎面相遇？

（2）出发后多长时间，两人第四次迎面相遇？第四次迎面相遇的地点距离 A 地多少千米？

「分析」应用我们上面总结的结论，两人从两地出发，第一次相遇时，两人路程和是多少？在第一次迎面相遇和第二次迎面相遇之间，两人路程和又是多少？

98

练习 1

阿瓜和阿呆分别从相距 90 千米的 A、B 两地同时出发，在 A、B 之间不断往返骑车．已知阿呆骑车的速度是每小时 21 千米，阿瓜骑车的速度是每小时 24 千米．请问：

（1）出发后多长时间两人第二次迎面相遇？

（2）再过多长时间两人第五次迎面相遇？

不同出发点的往返追及

甲、乙两人从 A、B 两地同时出发相向而行，甲到达 B 地后立即折回，直至第一次追上乙，我们画出线段图如右下所示：

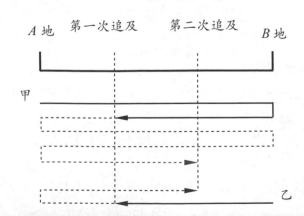

从线段图中可以发现：

甲第一次追上乙时，甲和乙的路程差是 1 个全长；

甲第二次追上乙时，甲和乙的路程差是 3 个全长；

甲第三次追上乙时，甲和乙的路程差是 5 个全长；

……

即相邻两次追及之间，两人的路程差恰好等于 2 个全长.

例题2

小高和墨莫分别从相距 60 千米的 A、B 两地同时出发，在 A、B 之间不断往返骑车. 已知小高骑车的速度是每小时 21 千米，墨莫骑车的速度是每小时 9 千米. 请问：

（1）出发后多长时间，小高第一次追上墨莫？再过多长时间小高第三次追上墨莫？

（2）出发后多长时间，小高第五次追上墨莫？第五次追上墨莫的地点距离 A 地多少千米？

「分析」应用我们上面总结的结论，两人从两地出发，第一次追上时，两人路程差是多少？在第一次追上和第三次追上之间，两人路程差又是多少？

练习2

阿瓜和阿呆分别从相距 80 千米的 A、B 两地同时出发，在 A、B 之间不断往返骑车. 已知阿呆每小时骑 32 千米，阿瓜每小时骑 12 千米. 请问：

（1）出发后多长时间阿呆第一次追上阿瓜？

（2）再过多少小时阿呆第三次追上阿瓜？

相同出发点的往返相遇

甲、乙两人从 A 地同时出发同向而行，在 A、B 两地之间不断往返，我们画出两人迎面相遇的线段图.

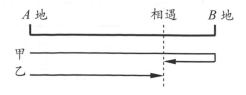

从线段图中可以发现：

当两人第一次迎面相遇时，甲和乙的路程和是 2 个全长；

当两人第二次迎面相遇时，甲和乙的路程和是 4 个全长；

当两人第三次迎面相遇时，甲和乙的路程和是 6 个全长；

……

即相邻两次相遇之间，两人的路程和恰好等于 2 个全长.

例题 3

小高和墨莫同时从 A 地出发，在相距 60 千米的 A、B 两地之间不断往返骑车. 已知小高骑车的速度是每小时 21 千米，墨莫骑车的速度是每小时 9 千米. 请问：

（1）出发后多长时间，两人第一次迎面相遇？第一次迎面相遇的地点距离 A 地多少千米？

（2）出发后多长时间，两人第五次迎面相遇？第五次迎面相遇的地点距离 A 地多少千米？

「分析」 应用我们上面总结的结论，两人从同地出发，第一次相遇时，两人路程和是多少？第五次相遇时，两人路程和又是多少？

练习 3

阿呆和阿瓜同时从 A 地出发，在相距 90 千米的 A、B 两地之间不断往返骑车. 已知阿呆骑车的速度是每小时 24 千米，阿瓜骑车的速度是每小时 21 千米. 请问：

（1）出发后经过多长时间两人第二次迎面相遇？

（2）出发后经过多长时间两人第五次迎面相遇？

相同出发点的往返追及

甲、乙两人从 A 地同时出发同向而行，在 A、B 两地之间不断往返，我们画出两人追及的线段图.

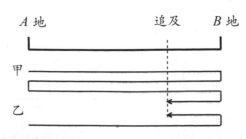

从线段图中可以发现，甲第一次追上乙时，甲和乙的路程差是 2 个全长；而从第一次追及到第二次追及，就跟前面所讨论的"不同出发点的往返追及"一样，路程差依然是 2 个全长．**即相邻两次追及之间，两人的路程差恰好等于 2 个全长**．

例题 4

小高和墨莫同时从 A 地出发，在相距 60 千米的 A、B 两地之间不断往返骑车．已知小高骑车的速度是每小时 21 千米，墨莫骑车的速度是每小时 9 千米．请问：

（1）出发后多长时间，小高第一次追上墨莫？第一次追上墨莫的地点距离 A 地多少千米？

（2）出发后多长时间，小高第五次追上墨莫？第五次追上墨莫的地点距离 A 地多少千米？

「分析」应用我们上面总结的结论，两人从同地出发，第一次追上时，两人路程差是多少？第五次追上时，两人路程差又是多少？

练习 4

阿呆和阿瓜同时从 A 地出发，在相距 90 千米的 A、B 两地之间不断往返骑车．已知阿呆骑车的速度是每小时 30 千米，阿瓜骑车的速度是每小时 25 千米．请问：

（1）出发后多长时间阿呆第一次追上阿瓜？

（2）出发后多长时间阿呆第三次追上阿瓜？

跑步的争执

阿呆与阿瓜比赛跑步，他们约定在 100 米长的直线跑道上往返跑，看谁先跑完 10000 米．

他俩同时从跑道一头出发，向跑道另一头跑去．两人在跑道上不停地往返跑，途中阿呆追上过阿瓜一次．一段时间后阿呆和阿瓜同时跑到出发点．

阿呆停下来了，对阿瓜说："别跑了，我赢了，我都跑了 50 个来回了．"

阿瓜刚想继续跑，一听阿呆的话便停下了脚步．阿瓜说："不对啊，我只跑了 48 个来回，而你只超过我一次，应该跑了 49 个来回才对啊！"

你们知道阿呆和阿瓜谁说的对吗？

挑战极限

例题 5

机器猫和机器狗从长为 150 米的跑道一端同时出发，在跑道上不断往返运动．已知机器猫的速度是每分钟 20 米，机器狗的速度是每分钟 30 米．那么在机器猫和机器狗出发后 100 分钟内．

（1）它们共迎面相遇多少次？

（2）机器狗共追上机器猫多少次？

「分析」 想要算出 100 分钟内相遇多少次，就要知道它们相遇一次所用的时间．要算出追上多少次，就要知道追上一次所用的时间．

例题 6

A、*B* 两辆汽车从甲、乙两站同时出发，相向而行，在距甲站 50 千米处两车第一次迎面相遇，相遇后两车继续前进（保持原速）各自到达乙、甲两站后，立即沿原路返回，在距乙站 30 千米处两车第二次迎面相遇．问：甲、乙两站相距多远？若两车继续前进，则在何处第三次迎面相遇？

「分析」 出发到第一次相遇、第一次相遇到第二次相遇，这两段时间有什么关系呢？好好思考一下，然后再画线段图分析．

文人的"反复"

宋神宗熙宁二年（1069），王安石当宰相后，决心改革，推行新法，遭到大地主、大官僚的坚决反对，没几年就被罢了官．他在京城闲居无聊，决意回南京去看看妻儿．

第二年春天，王安石由汴京南下扬州，又乘船西上回金陵（今江苏省南京市），路过于京口（今江苏省镇江市）到了隔江相望的瓜洲时，船靠码头，不再走了．他站在船头上，极目西望，但见青山隐隐，江水滔滔，春风绿野，皓月当空，触景生情，更加怀念起金陵钟山（又名紫金山）的亲人来了．他走进船舱，拿出纸笔，略一思索，就写了一首题名《泊船瓜洲》的诗：

> 京口瓜洲一水间，
>
> 钟山只隔数重山．
>
> 春风又到江南岸，
>
> 明月何时照我还？

写完后，王安石觉得"春风又到江南岸"的"到"字太死，看不出春风一到江南是什么景象，缺乏诗意，想了一会，就提笔把"到"字圈去，改为"过"字．后来细想一下，又觉得"过"字不妥．"过"字虽比"到"字生动一些，写出了春风的一掠而过的动态，但要用来表达自己想回金陵的急切之情，仍嫌不足．于是又圈去"过"字，改为"入"字、"满"字．这样改了十多次，王安石仍未找到自己最满意的字．他觉得有些头疼，就走出船舱，观赏风景，让脑子休息一下．

王安石走到船头上，眺望江南，春风拂过，青草摇舞，麦浪起伏，更显得生机勃勃，景色如画．他觉得精神一爽，忽见春草碧绿，这个"绿"字，不正是我要找的那个字吗？一个"绿"字把整个江南生机勃勃、春意盎然的动人景象表达出来了．想到这里，王安石好不高兴，连忙奔进船舱，另外取出一张纸，把原诗中"春风又到江南岸"一句，改为"春风又绿江南岸"．

为了突出他反复推敲来之不易的那个"绿"字，王安石特地把"绿"写得稍大一些，显得十分醒目．

一个"绿"字使全诗大为生色，全诗都活了．这个"绿"字就成了后人所说的"诗眼"．后来许多谈炼字的文章，都以他为例．

作业

① 甲、乙两人分别从相距 70 千米的 *A*、*B* 两地同时出发，在 *A*、*B* 之间不断往返骑车．已知甲骑车的速度是每小时 15 千米，乙骑车的速度是每小时 20 千米．请问：

（1）经过多少小时两人第二次迎面相遇？

（2）再过多少小时两人第四次迎面相遇？

② 甲、乙两人分别从相距 9 千米的 *A*、*B* 两地同时出发，在 *A*、*B* 之间不断往返骑车．已知甲骑车的速度是每小时 25 千米，乙骑车的速度是每小时 10 千米．出发后多少小时，甲第三次追上乙，追及的地点距离 *A* 多少千米？

③ 甲、乙两人同时从 *A* 地出发，在相距 6 千米的 *A*、*B* 两地之间不断往返骑车．已知甲骑车的速度是每小时 30 千米，乙骑车的速度是每小时 24 千米．请问：

（1）经过多少小时甲第三次追上乙？

（2）再过多少小时甲第四次追上乙？

4 甲、乙两人同时从 A 地出发，在相距 70 千米的 A、B 两地之间不断往返骑车．已知甲骑车的速度是每小时 15 千米，乙骑车的速度是每小时 20 千米．请问：

（1）经过多少小时两人第五次迎面相遇？

（2）第五次迎面相遇地点距离 A 地多少千米？

5 兔子和乌龟同时从 A 地出发，在相距 500 米的 A、B 两地之间不断往返骑车．已知兔子的速度是每分钟 60 米，乌龟的速度是每分钟 40 米．在出发的半小时内，他们一共迎面相遇多少次？

第十四讲 有特殊要求的挑选

106

知识树

知识精讲

之前我们已经学习过了排列组合的公式及其应用．排列问题与组合问题都需要从若干个对象中挑出一些对象来．前两讲涉及的问题相对简单，因为对挑出的对象没有什么特殊的要求．本讲我们就来学习如何解决对挑出的对象有特殊要求的问题．

对挑选元素有要求的排列组合问题，需要综合利用加法原理、乘法原理以及排列组合的相关知识．对于存在多种可能的情况，我们要适当地分类进行计算．

例题 1

从 5 瓶不同的纯净水、2 瓶不同的可乐和 6 瓶不同的果汁中：

（1）拿出 2 瓶两种不同类型的饮料，共有多少种不同的选法？

（2）拿出 3 瓶两种不同类型的饮料，共有多少种不同的选法？

「分析」要拿出 2 种不同类型的饮料，那么就需要分类讨论了，可以是纯净水＋可乐、纯净水＋果汁、可乐＋果汁，共三类；拿出 3 瓶和 2 瓶会有什么区别呢？

练习 1

商场里举行抽奖活动，在一个大箱子里放着 9 个球．其中红球、黄球和绿球各有 3 个，而且每种颜色的球都分别标有 1、2、3 号．顾客从箱子里摸出 2 个球，如果 2 个球的颜色不相同，就可以中奖．问：有多少种中奖情况呢？

例题2

从 4 台不同型号的等离子电视和 6 台不同型号的液晶电视中任意取出 3 台，其中等离子电视与液晶电视至少要各有 1 台，共有多少种不同的取法？

「分析」两种电视至少各有 1 台，那么分别可能是几台呢？需要分几类？

练习2

周末大扫除，老师要从第一组的 5 名男生和 5 名女生中选出 5 人留下打扫卫生．如果男、女生至少要各选出 2 人，那么一共有多少种不同的选择方法？

前面所遇到的问题我们都可以从正面直接分析进行计算．当满足要求的情况很多时，可以尝试用排除法计算不满足要求的情况，再从所有可能的情况中排除不满足要求的，也能得到问题的答案．

例题3

从 4 台不同型号的等离子电视和 6 台不同型号的液晶电视中任意取出 4 台，其中等离子电视至少要有 1 台，共有多少种不同的取法？

「分析」等离子电视至少有 1 台，那么分别可能是几台呢？需要分几类？如果分类太多，是否可以从反面考虑，采用排除法呢？

练习3 周末大扫除，老师要从第一组的5名男生和5名女生中选出5人留下打扫卫生．如果男生至少要选出1人，那么一共有多少种选择方法？

我们经常遇到一些和几何有关的计数问题，如从一些点中选3个点就可以构成一个三角形，这个结论总是成立吗？当这3个点在同一条直线上时是构成不了三角形的，此时我们要排除这种特殊情况．

例题4 如图，在半圆弧及其直径上共有8个点，以这些点为顶点可画出多少个三角形？

「分析」什么样的3个点构不成三角形呢？能否采用排除法呢？

练习4 图中两条直线上各有4个点，请问：以这8个点为顶点可以画出多少个三角形？

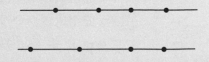

排队问题是我们排列组合问题中的经典题型，我们往往需要优先考虑那些有特殊要求的对象．

挑战极限

例题 5

墨莫、小高、卡莉娅、萱萱和大头 5 名同学站成一排照相，请分别求出以下每种情况各有多少种排成一排的站法：

（1）5 个人站成一排；

（2）5 个人站成一排，小高必须站在中间；

（3）5 个人站成一排，小高和大头必须有一人站在中间；

（4）5 个人站成一排，小高和大头必须站在两边；

（5）5 个人站成一排，小高和大头都没有站在边上.

「分析」 除了第（1）题之外，其他题都对某些人的站位提出了特殊的要求，这个时候我们需要优先考虑这些特殊对象.

数字问题是我们排列组合问题中的另一类经典题型，在下面这道数字问题中我们一样要注意那些有特殊要求的数位或数字.

例题 6

用 0、1、2、3、4 这五个数字组成多位数：

（1）能组成多少个没有重复数字的自然数？

（2）能组成多少个没有重复数字的奇数？

（3）能组成多少个没有重复数字的偶数？

「分析」 第（1）题中，多位自然数可以是 23，也可以是 10324，该如何分类计算？而跟自然数相比，奇数、偶数有什么特殊要求呢？应该怎么考虑问题呢？

键盘字母的排列问题

键盘字母是按照字母使用频率的高低来排序的. 大家也许会感到奇怪: 为什么要把 26 个字母作这种无规则的排列呢? 既难记忆又难熟练. 据说其原因是这样的:

在 19 世纪 70 年代, 肖尔斯公司是当时最大的专门生产打字机的厂家. 由于当时机械工艺不够完善, 使得字键在击打之后的弹回速度较慢, 一旦打字员击键速度太快, 就容易发生两个字键绞在一起的现象, 必须用手很小心地把它们分开, 从而严重影响了打字速度. 为此, 公司时常收到客户的投诉.

为了解决这个问题, 设计师和工程师伤透了脑筋. 后来, 有一位聪明的工程师提议: 打字机绞键的原因, 一方面是字键弹回速度慢, 另一方面也是打字员速度太快了. 既然我们无法提高弹回速度, 为什么不想办法降低打字速度呢?

这无疑是一条新思路. 降低打字员的速度有许多方法, 最简单的方法就是打乱 26 个字母的排列顺序, 把较常用的字母摆在笨拙的手指下, 比如, 字母 "O"、"S"、"A" 是使用频率很高的, 却放在最笨拙的右手无名指、左手无名指和左手小指来击打. 使用频率较低的 "V"、"J"、"U" 等字母却由最灵活的食指负责.

结果, 这种 "QWERTY" 式组合的键盘诞生了, 并且逐渐定型. 后来, 由于材料工艺的发展, 字键弹回速度远大于打字员击键速度, 但键盘字母顺序却一直没有改动. 至今出现过许多种更合理的字母顺序设计方案, 但都无法推广, 可知社会的习惯势力是多么强大.

111

作业

1. 书架上摆着 18 本不同的书, 总共分为 3 类: 一类是科幻小说, 一类是科普读物, 一类是人物传记. 每一类书都有 6 本. 小高想从中借 2 本, 而且要求借的 2 本书类型不相同, 那么共有多少种不同的借法?

2 一个黑色的口袋里放了 6 个不同的红球和 3 个不同的黄球. 小丁从中取出 5 个球, 如果要求两种颜色的球至少各有 2 个, 那么共有多少种不同的取法?

3 一个黑色的口袋里放了 6 个不同的红球和 4 个不同的黄球. 小丁从中取出 5 个球, 如果要求必须有黄球, 那么共有多少种不同的取法?

4 赵、钱、孙、李、周、吴、郑七人站成一排照相, 孙、李都不站在边上, 一共有多少种站法?

5 用 0、1、2、3、4、5 一共可以组成多少个没有重复数字的六位数?

第十五讲　捆绑法与插空法

知识树

知识精讲

我们已经学习了排队问题，解决这类问题的关键是处理好有特殊要求的对象．对于要求必须站在一起的人，可以采用先捆绑成一个"大胖人"的方法来处理，但最后不要忘了松绑，也就是还要给这个"大胖人"的内部安排一下站法，这就是捆绑法．

例题 1

小羊们要从羊村学校毕业了，5 只小羊要和 3 位老师站成一排照相．要求 3 位老师站在一起，一共有多少种不同的站法？

「分析」 先看看开篇故事，然后琢磨一下，如果想让 3 位老师相邻，可以采取什么手段？

练习1　文艺汇演共有 2 个舞蹈节目和 3 个歌唱节目. 现在需要编排一张节目单, 要求这三个歌唱节目必须紧挨着演, 那么有多少种节目单的编排方法?

例题2　小高买来 1 本科普书、2 本不同的小说、3 本不同的漫画书. 现在要把这些书摆放在书架上, 同类的书必须放在一起, 请问一共有多少种不同的摆法?

「分析」要让同类书相邻, 共 3 类, 该如何使用捆绑法实现呢?

练习2　学校迎新晚会上, 数学系有 2 个表演节目, 文学系有 4 个表演节目. 现在需要编排一张节目单, 同一个系的节目必须安排在一起, 那么有多少种节目单的编排方法?

　　排队问题中, 如果有人要求必须不相邻, 可以先把其他人先安排好, 再把不能相邻的人插入其他人之间的空隙中去, 这就是插空法.

例题3　某班 4 名男生、3 名女生一起去秋游, 在一处风景优美的地方 7 个人要站成一排照相. 如果要求任意两名男生都不能相互挨着站在一起, 有多少种不同的站法? 如果要求任意两名女生都不能相互挨着站在一起, 有多少种不同的站法呢?

「分析」任意两名男生都不能相互挨着, 那么应该怎么用插空法, 得先让哪些人排好呢? 换成女生不挨着, 又该怎么考虑呢?

练习3 文艺汇演共有 3 个舞蹈节目和 5 个歌唱节目. 现在需要编排一张节目单, 要求任意两个舞蹈节目都不能排在一起, 那么有多少种节目单的编排方法?

插队

一位妇人匆匆走进肉店, 毫不客气地喊道: "喂! 老板, 给我一百元给狗吃的牛肉." 然后, 她转身向另一名等待的妇人说: "你不会介意我插个队吧!" 那妇人冷冷地回答: "当然不会, 既然你那么饿了, 让你先买无妨."

下面我们来学习较为复杂的数字排列问题——重复数字问题. 解决这类问题, 主要应用的是"相同数字选位置"的方法.

例题4
（1）用两个 1、两个 2 可以组成多少个不同的四位数?
（2）用两个 1、两个 2、两个 3 可以组成多少个不同的六位数?
（3）用两个 0、两个 2 可以组成多少个不同的四位数?

「分析」第（1）题两个 1、两个 2 组四位数, 我们可以想象成 1、2 这两个数字去挑 4 个数位, 其中 1 要挑两个数位, 2 要挑两个数位. 第（3）题两个 0、两个 2 组四位数时, 有什么特殊的要求吗?

练习4 用一个 1、两个 2、三个 3 可以组成多少个不同的六位数?

在本讲的前三个例题中，我们知道相邻必捆绑，不相邻必插空．然而在很多题目中，往往需要两种方法同时使用，这个时候需要我们合理安排做事情的顺序，以满足题目的要求．

挑战极限

例题 5

文艺汇演共有 8 个节目，分 3 种类型：3 个小品，2 个舞蹈，3 个演唱．现在要编排一个节目单，要求每两个演唱节目之间必须有其他类型的节目，同时 2 个舞蹈节目必须连续，那么有多少种节目单的编排方法？

「分析」演唱节目不相邻，需要用插空法；舞蹈节目必须连续，需要用捆绑法，那么我们应该先捆绑后插空呢，还是先插空后捆绑呢？

之前排列组合应用一讲，我们已经接触过了一些简单的出现重复的情况，还有一些比较复杂的、容易发生重复计算的情况，需要大家格外小心．

例题 6

8 名学生和 7 名老师进行拔河比赛，首先选一名老师担任裁判，接着再把其余 14 人分成两队，每队都必须包含 4 名学生和 3 名老师，那么共有多少种不同的分队方法？

「分析」首先，选一名老师担任裁判．然后再从剩下的 8 名学生和 6 名老师中挑出 4 名学生和 3 名老师，共有多少种不同的选法？这个选法数是不是本题的答案呢？

会排队的毛毛虫

在非洲和地中海一带，有一种被昆虫学家称之为行列蛾类的昆虫，这种蛾倒没什么特别之处，它们的幼虫毛毛虫却引起昆虫学家的注意.

这些毛毛虫从卵孵化出来之后，就成百地集结在一起生活. 在外出觅食时，通常是一只队长带头，其他的毛毛虫头顶着前一只伙伴的屁股，一只贴着一只排成一列或两列前进，这队伍的最高纪录是 600 只. 为预防自己不小心走岔路跟丢了，它们还一面爬一面吐丝. 等到吃饱了叶子，它们又排好队原路返回.

法国昆虫学家法布尔曾经仔细研究过这些毛毛虫. 先是把队长拿走，但后边的一只迅速补上，继续前行；又把它们的丝路切断，虽然会暂时把它们分开，但后边的那队会到处闻，到处找，只要追上前边，马上就会合二为一.

法布尔所做的实验中，最有意思的是计诱毛毛虫走上一个花盆的边缘. 毛毛虫一走上去就沿着边缘前进，一面走一面吐丝. 令法布尔惊讶的是，这群愣头毛毛虫当天在花盆边缘一直走到精疲力尽才停下来，其间曾经稍作休息，但是没吃也没喝，连续走了十多个小时.

第二天，守纪律的毛毛虫队列丝毫不乱，依然在花盆边缘上转圈，没头没脑地跟着前边的走. 第三天、第四天……一直走了一个星期，看得法布尔都不忍心了. 终于到了第八天，有一只毛毛虫掉了下来，意外地突破困境，这一群毛毛虫才重返家园.

118

作业

1 6 名同学排成一排，如果小张和小李相邻，共有多少种排列的方式？

2 6 名同学排成一排，如果小张和小李相邻，小王和小许相邻，共有多少种排列的方式？

3 2 名男生和 4 名女生排成一排．如果要求男生和男生不能相邻，共有多少种排列的方式？

4 用两个 3、两个 4、三个 5 可以组成多少个不同的七位数？

5 用两个 0、三个 1 可以组成多少个不同的五位数？

第十六讲 奇偶性分析

知识树

奇偶性分析

知识精讲

一个整数要么是奇数，要么是偶数，二者必居其一，这个属性叫做这个数的奇偶性．利用奇数与偶数的分类及其特殊性质，可以"简捷"地求解一些与整数有关的问题，我们把这种通过分析整数的奇偶性来解决问题的方法称为"奇偶分析法"．

在正式开始本讲的学习之前，我们首先需要较熟练地掌握以下结论，有助于我们更好地去思考问题：

一、加减法性质

奇 + 奇 = 偶，奇 + 偶 = 奇，偶 + 偶 = 偶

奇 - 奇 = 偶，奇 - 偶 = 奇，偶 - 奇 = 奇，偶 - 偶 = 偶

1、相邻 2 个自然数一定是一个是奇数、一个是偶数，其和一定是奇数．

2、通过观察可以看出，一个数加偶数不会改变奇偶性，所以和的奇偶性是由奇数的个数决定的．奇数个奇数的和是奇数，偶数个奇数的和是偶数；任意个偶数的和是偶数．

3、可看出两个数的和与差奇偶性相同．一些数相加减，最后的结果的奇偶性也是由奇数的个数决定的，即"奇数个奇数的和差是奇数，偶数个奇数的和差是偶数；任意个偶数的和差是偶数"．

二、乘除法性质

奇 × 奇 = 奇，奇 × 偶 = 偶，偶 × 偶 = 偶

当乘数都是奇数时，乘积是奇数（反过来，如果若干个整数的乘积是奇数，那么其中的每一个乘数都是奇数）；只要乘数里出现至少 1 个偶数，那么乘积就是偶数（反过来，如果若干个整数的乘积是偶数，那么其中至少有一个乘数是偶数）．——所以乘积的奇偶性是由是否存在偶数决定的．

奇÷偶（除不尽），奇÷奇＝奇（在能除尽时），偶÷奇＝偶（在能除尽时）

偶÷偶（结果不确定，可奇、可偶）（在能除尽时）

在做除法时不一定能除尽，所以我们讨论的都是除尽的情况，主要注意"偶÷偶"的情况不确定，其余的在五年级学完分解质因数后同学们会有更深刻的理解．

练一练

判断下列各算式结果的奇偶性：

（1）$32387+209486+3024+39485+209777+5933+59289+875798$；

（2）$25465+23523-12535+41245-68544+35366-11198$；

（3）$48735\times73527\times98321\times84729$；

（4）$1287\times9475\times7384\times7583\times791\times7839$；

（5）卡莉娅心里想了 2 个自然数，她告诉小高这两个数相加后的和为 38795，请小高猜猜这 2 个数的差可能是：

A 83　B 642　C 3456　D 12468，小高想了很久还是愁眉不展，你能帮帮他？

122

例题 1

（1）$1+2+3+4+\cdots+2012$ 的和是奇数还是偶数？

（2）在 1，2，3，…，2013 的每相邻两数之间，添上加号或减号，请问：能否找到一种添法，使得算式结果为 0？

「分析」加减法结果的奇偶性取决于算式中奇数的个数，你能计算出算式中有多少个奇数吗？

练习 1

$1-2+3+4-5+6+7-8+9+\cdots+2011-2012+2013$ 的结果是奇数还是偶数？

例题2

（1）$1 \times 2 + 2 \times 3 + 3 \times 4 + \cdots + 99 \times 100$ 的结果是奇数还是偶数？

（2）$1 \times 3 + 3 \times 5 + \cdots + 99 \times 101$ 的结果是奇数还是偶数？

「分析」（1）中每个乘积是奇数还是偶数？（2）中乘积都是奇数，那么到底是多少个奇数相加呢？

练习2

$1 \times 3 + 3 \times 5 + 5 \times 7 + \cdots + 2011 \times 2013$ 的结果是奇数还是偶数？

构造论证是一类很有意思的问题，它或者要求你设计一种巧妙的处理问题的方案，或者希望你帮忙说明一些事情的道理.

事实上，设计方案就是构造. 在所有的问题中，如果能够构造出一种合适的方案，那问题就解决了，但如果不能构造出，那就需要说明为什么不能构造，而这个叙述的过程就叫做论证.

论证的方法有很多，今天主要是利用奇偶性分析来说明问题.

例题3

有 14 个孩子，依次给他们编号为 1，2，3，…，14，能否把他们分成三组，使得每组都有一个孩子的编号是他所在组其他孩子的编号之和？

「分析」如果能实现的话，每组的所有孩子编号之和是奇数还是偶数呢？

练习3 有11张卡片，分别写有1～11这11个自然数，现在要将这11张卡片分为两堆，使得一堆所有卡片上的和是奇数，另一堆所有卡片上的数之和是偶数，能否做到？

接下来我们看构造论证模块中一类非常经典的翻硬币问题.

例题4 桌上放有5枚硬币，第一次翻动1枚，第二次翻动2枚，第三次翻动3枚，第四次翻动4枚，第五次翻动5枚. 能否恰当地选择每次翻动的硬币，使得最后桌上所有的硬币都翻过来？如果桌上有6枚硬币，按类似的方法翻动6次，能否使得所有的硬币都翻过来？

124

「分析」要想让一枚硬币翻过来，我们需要翻动几次？要想让5枚硬币都翻过来，那么我们要翻动的总次数应该是什么样的？

练习4 桌上放有6枚正面朝下的硬币，第一次翻动其中的5枚，第二次翻动其中的4枚，第三次翻动其中的3枚，第四次翻动2枚，第五次翻动1枚. 请问：能否恰当地选择每次翻动的硬币，使得最后桌上所有的硬币正面都朝上？

在构造论证中的"证明不可能"即"论证"环节，往往会用到"反证法"，即先假设"可以"，再进过推理得出矛盾，说明"假设不成立".

挑战极限

例题 5

（1）有 2013 个自然数的和是偶数，那么它们的乘积是奇数还是偶数？

（2）有 2012 个自然数的和是奇数，那么它们的乘积是奇数还是偶数？

「分析」（1）2013 个数的和是偶数，那么关于这些加数，你能得出什么结论呢？（2）2012 个什么样的自然数的和会是奇数呢？

例题 6

在 1~15 中选出 10 个数填入右下图的圆圈中，每两个有线相连的圆圈中的数相加，请问：这 14 个和能否恰好是 5~18 ？

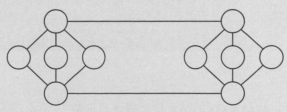

「分析」 数阵图中我们学习过了重数分析法，即把所有的和加起来，看每个数加了几次，然后再列算式进行分析．对本题我们不妨也试着用类似的方法试一下吧！

数论急先锋——神秘的奇偶数

奇偶数有很多特别的性质，让我们来总结一下吧！

运算性质：在加减法运算中，出现偶数不改变奇偶，而每出现一个奇数就改变一次奇偶；乘法运算中，乘数中一旦出现偶数，结果就是偶数，否则结果就是奇数.

两个自然数的和与差同奇偶.

任意相邻的两个自然数必是一奇一偶，并且这两个数互质.

差为 $2n$ 的两个奇数互质.

从 1 开始，前 n 个奇数的和等于 n^2.

任意两个奇数的平方差是 8 的倍数.

偶数的平方一定是 4 的倍数，奇数的平方除以 4 和 8 都余 1.

相邻两个偶数的最大公约数是 2，相邻两个奇数的最大公约数是 1.

相邻两个偶数的最小公倍数是两数乘积的一半，相邻两个奇数的最小公倍数是两数之积.

完全平方数有奇数个不同的约数，非完全平方数有偶数个不同的约数.

哥德巴赫猜想：任意一个不小于 4 的偶数都可以拆成两个质数的和.

例如：$4=2+2$，$6=3+3$，$8=3+5$，$10=3+7$，$12=5+7$，$14=3+11$，$16=3+13$，$18=5+13$，…

126

作业

1. 算式 $756 \times 345 - 4343 + 388$ 的结果是奇数还是偶数？

2 算式 $1-2+3-4+\cdots+19-20+21$ 的结果是奇数还是偶数？

3 （1）能否在 1，2，3，…，9，10 的每两个相邻的数之间填入加号或减号（不能改变数的顺序），使得结果是 25？

（2）能否在 1，2，3，…，9，10 的每两个相邻的数之间填入加号或减号（不能改变数的顺序），使得结果是 36？

4 请问是否存在两个自然数，它们的和比它们的差多 5？若存在，请写出一组这样的数；若不存在，请说明理由.

5 桌上放着七只杯子，有三只杯口朝上，四只杯口朝下，每个人任意将杯子翻动四次. 请问：若干人翻动后，能否将七只杯子全变成杯口朝下？

第十七讲 牛吃草问题

知识树

知识精讲

什么是"牛吃草问题"呢？同学们先来看看一个简单的例子：

仓库里有一堆草，给 4 头牛吃，6 天可以吃完，如果给 3 头牛吃，几天能吃完？

这道题该怎么处理呢？我们可以借助下面这个关系式来进行求解：

$$牛数 \times 天数 = 吃草总量$$

由于每头牛每天的吃草量是不变的，因此可以把它设为单位"1"．这样 4 头牛 6 天吃掉的草量就等于 4×6=24 个单位，而 3 头牛每天吃掉"3"个单位的草，因此 3 头牛需要 24÷3=8 天才能吃完．

大家看，牛吃草问题是不是很简单？但是，这道题还不是真正的"牛吃草问题"呢．真正的"牛吃草问题"不是让一群牛去仓库里吃草，而是去一片草地上吃草．大家能看出这其中的区别吗？地方更宽敞？草更新鲜？当然不是这些，最大的区别在于，仓库里草的总量是固定不变的，而草地上的草还在不停地生长，这样一来问题一下子就变复杂了．不过大家不用害怕，有了上面设单位"1"的方法后，这类题目的解法是很容易的，大家可以从下面的例子中学到这种方法．

首先我们来看一下例题 1，当草地原草量和生长量都告诉我们的时候，我们该如何解决"牛吃草问题".

例题 1

一块草地有草 180 份，每天长 5 份．如果每头牛每天吃 1 份草，那么：

（1）要使得草永远吃不完，那么最多放养 ＿＿＿＿＿ 头牛；

（2）6 头牛，吃 ＿＿＿＿＿ 天；

（3）10 头牛，吃 ＿＿＿＿＿ 天；

（4）＿＿＿＿＿ 头牛，吃 18 天；

（5）＿＿＿＿＿ 头牛，吃 15 天．

「分析」 原有草量已知，要计算多少天可以把草吃完，关键是找出每天减少多少草量．

练习 1

一块草地有草 60 份，每天长 2 份．那么：

（1）要使得草永远吃不完，那么最多放养 ＿＿＿＿＿ 头牛；

（2）5 头牛，吃 ＿＿＿＿＿ 天；

（3）7 头牛，吃 ＿＿＿＿＿ 天；

（4）＿＿＿＿＿ 头牛，吃 10 天；

（5）＿＿＿＿＿ 头牛，吃 15 天．

当原草量和生长量都未知时，我们该怎么办呢？

例题 2

有一片牧场，草每天都在均匀地生长．如果在牧场上放养 18 头牛，那么 10 天就把草吃完了；如果放养 24 头牛，那么 7 天就把草吃完了．请问：

（1）要放养多少头牛，才能恰好 14 天把草吃完？

（2）如果放养 32 头牛，多少天可以把草吃完？

「分析」这是最常见的牛吃草问题，这类问题的难点在于牛吃草的同时，草还在生长．假设 1 头牛 1 天吃 1 份草，会发现两种放养方法吃的总草量不同．为什么会这样呢？因为两次草生长的天数不同，于是就可以算出草生长的速度了．

练习 2

有一片牧场，草每天都在均匀地生长．如果放养 24 头牛，那么 6 天就把草吃完了；如果放养 21 头牛，那么 8 天就把草吃完了．请问：

（1）放养多少头牛，12 天才能把草吃完？

（2）要使得草永远吃不完，那么最多放养多少头牛？

我们可以把例 2 的方法总结一下，得出牛吃草问题的基本解题步骤：

将每头牛每天的吃草量设为单位"1"；

比较已知条件中的牛的吃草总量，算出草每天的生长量；

计算草地原有草的总量；

根据所问问题求解．

前面的两道题都是草在生长，草的总量在增加．而实际生活中，草量有时也会随着时间不断减少，那么碰到这样的问题我们该怎么办呢？下面就来看一道这样的问题．

例题 3

进入冬季后，有一片牧场上的草开始枯萎，因此草会均匀地减少．现在开始在这片牧场上放羊，如果放 38 只羊，需要 25 天把草吃完；如果放 30 只羊，需要 30 天把草吃完．请问：

（1）放养多少只羊，12 天才能把草吃完？

（2）如果放 20 只羊，这片牧场可以吃多少天？

「分析」本题在羊吃草的同时，草也在不断地减少，这也是牛吃草问题的一种．同前面的问题一样，我们还是要对比一下两个已知条件，算出草的减少速度和原有草总量．

练习 3

进入冬季，有一片牧场上的草开始枯萎，因此草会均匀地减少．若在这儿放牛，可以供 32 头牛吃 24 天，或者供 27 头牛吃 28 天．请问：

（1）放养多少头牛，12 天才能把草吃完？

（2）如果在这片牧场上养 21 头牛，那么草可以吃多少天？

例题 4

有一片草场，草每天的生长速度相同．若 14 头牛 30 天可将草吃完，70 只羊 16 天也可将草吃完（4 只羊一天的吃草量相当于 1 头牛一天的吃草量）．那么 17 头牛和 20 只羊多少天可将草吃完？

「分析」这道题既有牛又有羊，只需将牛羊统一，然后按照基本的牛吃草问题求解即可．

练习 4

一片草场，草每天都在均匀生长．如果在这片草场上放 20 头牛和 24 只羊，那么 18 天可以吃完；如果在这片草场上放 15 头牛和 54 只羊，那么 15 天就把草吃完．

已知一头牛每天吃的草量相当于 3 只羊每天吃的草量．请问如果在这片草地上放 12 头牛和 18 只羊可以吃几天？

在前面的例题中，牛总是听话地呆在某一块草地上吃草，因此在吃的过程中，牛的数量不会发生改变．而实际上，牛有时不会老老实实呆在一块草地上的，它们会四处走动，而牛一走动就会改变草地上牛的数量．

那么在吃草的过程中，牛的数量发生变化又该如何处理呢？请大家来看下面的问题．

挑战极限

例题5

一片草地，草每天都在均匀生长．有 15 头牛吃草，8 天可以把草全部吃完．如果起初这 15 头牛吃了 2 天后，又来了 2 头牛，则总共 7 天就可以把草吃完．如果起初这 15 头牛吃了 2 天后，又来了 5 头牛，则总共需要多少天可以把草吃完？假定草生长的速度不变，每头牛每天吃的草量相同．

「分析」 这道题牛的数量在变化，但同其他牛吃草问题一样，还是需要通过比较草量的变化求出每天生长的草量和原有草量．

有很多的问题看上去和"牛吃草"毫无联系，但仔细观察就会发现，它们都只是换了个形式的"牛吃草"而已．这样的问题通常都可以看成牛吃草问题来求解，下面我们来看一个这样的例子．

例题6

有一个蓄水池装有 8 根排水管，某天天降大雨，雨水以均匀的速度不停地向这个蓄水池注入．后来有人想打开排水管，使池内的水全部排光（这时池内已注入了一些水）．如果把 8 根排水管全部打开，需 3 小时把池内的水全部排光；如果打开 5 根排水管，需 6 小时把池内的水全部排光．想要 4.5 小时把池内的水全部排光，需同时打开多少根排水管？

「分析」 雨水注入蓄水池，排水管往外排水，这和牛吃草问题有什么类似呢？什么量相当于牛、什么量相当于草呢？

牛顿的故事

牛吃草问题又称为消长问题或牛顿牧场，是 17 世纪英国伟大的科学家牛顿提出来的.

牛顿 Newton（1642 ~ 1727，英国人）是大科学家，是近代科学的象征. 他在世时作为科学界的主宰几乎被当作偶像崇拜. 他作为英国皇家学会连任 24 年的终身会长，法国科学院至尊的外国院士，还兼任英国造币局局长和国会议员，并前所未有地被封为贵族，获得爵士称号. 他死后作为自然科学家又第一个获得国葬，长眠于威斯敏斯特教堂，这是历代帝王和一流名人的墓地. 牛顿去世之后，他的声望有增无减. 他不仅有不朽的著作《自然哲学的数学原理》、《光学》等流传于世，而且由于后继大师们的发展，他的思想观念长期统率着科学战线上的士卒. 他在物理、数学研究上的主要成果，至今仍是各国大中学生必修的功课.

牛顿名言：

"我不知道在别人看来，我是什么样的人；但在我自己看来，我不过就像是一个在海滨玩耍的小孩，为不时发现比寻常更为光滑的一块卵石或比寻常更为美丽的一片贝壳而沾沾自喜，而对于展现在我面前的浩瀚的真理的海洋，却全然没有发现."

"如果说我比别人看得更远些，那是因为我站在了巨人的肩上."

"无知识的热心，犹如在黑暗中远征."

"你该将名誉作为你最高人格的标志."

"我能算出天体运行的轨道，却算不出人性的贪婪."

作业

1. 有一片牧场，草每天都在均匀地生长. 如果在牧场上放养 24 头牛，那么 6 天就把草吃完了；如果只放养 21 头牛，那么 8 天才把草吃完. 那么要使得草永远吃不完，最多可以放养多少头牛？

2 有一片牧场，草每天都在均匀地生长．如果放养 8 头牛，8 天就把草吃完了；如果放养 10 头牛，6 天就把草吃完了．如果放养 14 头牛，多少天就能把草吃完？

3 有一片均匀生长的草地，可以供 1 头牛吃 40 天，或者供 5 只羊吃 20 天，如果 1 头牛每天吃草量相当于 3 只羊每天吃的草．那么这片草地每天生长的草可供多少只羊吃 1 天？这片草地的原草量可供多少只羊吃 1 天？如果让 1 头牛与 6 只羊一起吃可以吃多少天？

4 由于天气逐渐变冷，牧场上的草每天以均匀的速度减少．经计算，牧场上的草可供 20 头牛吃 5 天，或可供 16 头牛吃 6 天．那么，如果没有放养牛，牧场上的草全部枯萎需要多少天？

5 一片草地，可供 8 头牛吃 30 天或者供 10 头牛吃 25 天．那么这片草地可供 4 头牛吃多少天？

第十八讲 整数裂项

知识树

知识精讲

有些较长的复杂数列求和，单靠硬算是很难计算得到结果的，同时也没有公式可以直接用来计算结果，例如计算 $1×2+2×3+3×4+\cdots+9×10$ ，这时就可以用"裂项"的方法进行求解，裂项的本质是"凑、抵、消"，通过把每一项分拆成两项的差，使得相邻两项有共同可以抵消的部分，相加抵消运算. 例如上题，可以如下操作：

$$1×2=(1×2×3-0×1×2)÷3$$
$$2×3=(2×3×4-1×2×3)÷3$$
$$3×4=(3×4×5-2×3×4)÷3$$
$$\cdots\cdots$$
$$8×9=(8×9×10-7×8×9)÷3$$
$$9×10=(9×10×11-8×9×10)÷3$$

将上述所有算式相加后提取公除数，括号内前后一加一减会相互抵消，最后得到

原式 $=1×2+2×3+3×4+\cdots+8×9+9×10=(9×10×11-0×1×2)÷3$ ；

所以 $1×2+2×3+\cdots+9×10=9×10×11÷3=330$.

例题 1

计算： $1 \times 2 + 2 \times 3 + \cdots + 19 \times 20$.

「**分析**」 乘数是连续自然数，用前面课文中的方法进行裂项分析吧！

练习 1

计算： $1 \times 2 + 2 \times 3 + \cdots + 49 \times 50$.

例题 2

计算： $11 \times 12 + 12 \times 13 + \cdots + 99 \times 100$.

「**分析**」 乘数依然是连续自然数，仍然是裂项分析！

练习 2

计算： $7 \times 8 + 8 \times 9 + \cdots + 49 \times 50$.

例题 3

计算：（1）$2 \times 4 + 4 \times 6 + \cdots + 28 \times 30$；

（2）$1 \times 3 + 3 \times 5 + \cdots + 27 \times 29$.

「分析」与例1、2不同，乘数不是连续的自然数，但是连续的偶数、奇数，能否裂项分析呢？

练习 3

计算：（1）$2 \times 4 + 4 \times 6 + \cdots + 22 \times 24$；（2）$1 \times 3 + 3 \times 5 + \cdots + 9 \times 11$.

通过前面几道例题，我们来简单地总结一下什么样的算式可以使用"整数裂项"的方法.

这个算式应该是由多个整数项相加组成的，每个整数项又分别由多个整数相乘得到；

每个整数项中乘数的个数应该是一样的，并且第一个乘数可以组成等差数列，第二个乘数也可以组成等差数列；

前一项的最后一个乘数和后一项的第一个乘数是一样的.

例题 4

计算：（1）$4 \times 7 + 7 \times 10 + \cdots + 40 \times 43$；

（2）$2 \times 5 + 5 \times 8 + \cdots + 50 \times 53$.

「分析」乘数构成了等差数列，同样是可以裂项分析的！

练习4 计算：（1） $5\times10+10\times15+\cdots+50\times55$ ；
（2） $4\times9+9\times14+\cdots+49\times54$.

前面几道例题中，每个整数项中乘数的个数都是 2，现在我们看一下更为复杂的题目.

挑战极限

例题5

计算：（1） $1\times2\times3+2\times3\times4+3\times4\times5+\cdots+18\times19\times20$ ；
（2） $2\times4\times6+4\times6\times8+\cdots+26\times28\times30$.

「分析」 每个乘法算式都有三个乘数，裂项的方法与两个乘数的算式是一样的哦！

整数裂项的方法不单单可以应用于上述形式的数列计算中，在斐波那契数列的计算中也有非常广泛的应用，接下来我们来看一道这样的题目.

例题6

已知斐波那契数列 1，1，2，3，5，8，…的第 20 项是 6765，那么它的前 18 项的和是多少？

「分析」 如果把前 18 项全写出来相加，计算量会很大．能否裂项分析呢？题目所给的第 20 项有什么用呢？哪一项裂项会出现第 20 项呢？

142

平方和公式与立方和公式的推导

同学们还记得我们之前学习过的平方和公式吗？平方和公式有很多推导的方法，而今天学习的"整数裂项"的方法就是其中常见的一种．

$$1^2+2^2+3^2+4^2+\cdots+n^2$$
$$=1\times(2-1)+2\times(3-1)+3\times(4-1)+4\times(5-1)+\cdots+n\times(n+1-1)$$
$$=1\times2-1+2\times3-2+3\times4-3+4\times5-4+\cdots+n\times(n+1)-n$$
$$=1\times2+2\times3+3\times4+4\times5+\cdots+n\times(n+1)-(1+2+3+4+\cdots+n)$$
$$=n(n+1)(n+2)\div3-(1+n)\times n\div2=n(n+1)(2n+1)\div6.$$

同样我们可以使用整数裂项的方法，推导出立方和公式：

$$1^3+2^3+3^3+4^3+\cdots+n^3$$
$$=1\times(2-1)\times(3-2)+2\times(3-1)\times(4-2)+\cdots+n\times(n+1-1)\times(n+2-2)$$
$$=1\times2\times3+2\times3\times4+\cdots+n(n+1)(n+2)-$$
$$[1\times3+2\times4+3\times5+\cdots+n(n+2)]-2\times(1^2+2^2+\cdots+n^2)$$
$$=n(n+1)(n+2)(n+3)\div4-3\times(1^2+2^2+\cdots+n^2)-2\times(1+2+\cdots+n)$$
$$=n(n+1)(n+2)(n+3)\div4-n(n+1)(2n+1)\div2-n(n+1)$$
$$=n^2(n+1)^2\div4.$$

作 业

1. 计算：$1 \times 2 + 2 \times 3 + 3 \times 4 + \cdots + 10 \times 11$.

2. 计算：$2 \times 4 + 4 \times 6 + 6 \times 8 + \cdots + 20 \times 22$.

3. 计算：$1 \times 3 + 3 \times 5 + 5 \times 7 + \cdots + 11 \times 13$.

4. 计算：$4 \times 7 + 7 \times 10 + 10 \times 13 + \cdots + 22 \times 25$.

5. 计算：$1 \times 2 \times 3 + 2 \times 3 \times 4 + 3 \times 4 \times 5 + \cdots + 10 \times 11 \times 12$.

第十九讲 容斥原理

知识树

知识精讲

这一讲我们主要学习和"包含"与"排除"有关的问题,这样的问题在生活中就有不少,比如吃瓜子.我们说吃掉了一斤瓜子,指的是带壳的瓜子,并非真的吃到肚子里一斤,因为这一斤中还"包含"着瓜子壳.如果要计算到底吃了多少,最简单的方法就是称一称瓜子壳,用原来的一斤"排除"掉瓜子壳的重量.

瓜子的例子相对简单,一斤瓜子里一部分是瓜子仁,另一部分就是瓜子壳,两者各不相关.但本讲要学习的包含与排除问题要复杂一些,各部分之间会有重叠.比如一个办公室中每个人都至少爱喝茶或咖啡中的一种,已知有 7 个人爱喝茶,10 个人爱喝咖啡,那能不能就说办公室里有 17 个人呢?显然不能,因为可能有一些人既爱喝茶也爱喝咖啡,如果直接将喝茶的人数和喝咖啡的人数相加,会把既爱喝茶又爱喝咖啡的人计算 2 次(如图所示),计算人数的时候要把这一部分减去才行.比如,如果有 3 个人既爱喝茶又爱喝咖啡,那总的人数就应该是 $7 + 10 - 3 = 14$ 人.

这就是我们今天要来研究的问题——有重叠的计数问题,即包含与排除问题.研究这种问题通常需要画出示意图(如喝茶与喝咖啡的图),这样的示意图又叫做**文氏图**,下面我们就用文氏图推导两个对象的容斥原理公式.

145

如右图所示，如果要计算三个部分的总数，直接计算 $A+B$ 就会算多了，而多算的正好是部分③，只要把多算的减掉就可以了. 上述分析总结成公式就是：

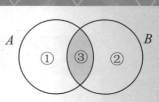

$$A、B 总数 =A+B - A、B 重叠$$

这个公式就是**两个对象的容斥原理**.

例题 1

（1）一群小朋友共有 50 人，他们都喜欢吃辣椒或芥末中的一种或两种，喜欢吃辣椒的有 36 人，喜欢吃芥末的有 20 人，那么两种都喜欢吃的有多少人？

（2）暑假里，小高和墨莫一起讨论金陵十八景. 他们发现十八景中的每一处都有人去过，而且有五处是两人都去过的. 如果小高去过其中的十二景，那么墨莫去过其中的几景？

（3）在一群小朋友中，有 12 人看过动画片《黑猫警长》，有 21 人看过动画片《大闹天宫》，并且有 8 人两部动画片都看过. 已知每个小朋友至少都看过其中的一部，那么有几个小朋友只看过这两部动画片中的一部？

「分析」试着画文氏图分析一下吧！注意图中每一部分所代表的含义！

练习 1 四年级同学参加语文、数学考试，每人至少有一门功课的成绩是优秀. 其中语文优秀的有 42 人，数学优秀的有 56 人，语文、数学都优秀的有 15 人，请问四年级共多少名同学？

146

例题2

渔乡小学举行长跑和游泳比赛,共 305 人参加. 有 150 名男生和 90 名女生参加长跑比赛, 有 120 名男生和 70 名女生参加游泳比赛, 有 110 名男生两项比赛都参加了. 请问: 只参加游泳而没参加长跑的女生有多少人?

「分析」题目中既有参加长跑的, 又有参加游泳的, 作图时可以画两个圆, 分别表示"游泳"和"长跑". 但条件中还有男生、女生, 那男生、女生该怎么表示呢?

练习2

某校参加数学竞赛的有 120 名男生、80 名女生, 参加语文竞赛的有 120 名女生、80 名男生. 已知该校总共有 260 名学生参加竞赛, 其中 75 名男生两科竞赛都参加了, 请问只参加一科竞赛的女生有多少人?

例题3

三位基金经理投资若干支股票. 张经理买过其中 66 支, 王经理买过其中 40 支, 李经理买过其中 23 支. 张经理和王经理都买过的有 17 支, 王经理和李经理都买过的有 13 支, 李经理和张经理都买过的有 9 支, 三个人都买过的有 6 支. 请问: 这三位经理一共买过多少支股票?

「分析」我们还是画出文氏图来分析, 题中的已知条件分别对应图中的哪个部分? 怎样来求各个部分的数量呢? 一定要记得将求出来的数及时填入图中适当的位置.

例题 3 实际上就是三个对象的包含与排除问题. 三个对象的容斥原理如下:

$$A、B、C 总数 = A + B + C - A、B 重叠 - B、C 重叠 - C、A 重叠 + A、B、C 重叠$$

怎么理解这个公式呢? 我们还是利用文氏图来说明.

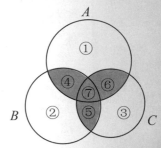

如图, 我们在计算 $A+B+C$ 时, 有一些部分被重复计算了: ④、⑤、⑥被计算了两次, 而⑦被计算了三次. 因此我们需要把重复计算的去掉. 需要注意的是, 去掉 A、B 重叠, B、C 重叠和 A、C 重叠的部分后, ④、⑤、⑥重复计算的一次去掉了, 但⑦被去掉了三次, 还需要补上一次, 这就得到了上面的公式. 即把所有圆圈相加, 减去两个圆圈重叠部分, 再加上三个圆圈重叠的部分得到的就是总数.

在使用这个公式时, 请同学们一定要清楚公式中每一部分的含义, 不能有丝毫的偏差. 只有所有条件都和公式完全吻合时我们才能使用这个公式.

练习3

卡莉娅用三块长方形桌布相互重叠地铺在一张长方形桌子上, 正好将桌子完全覆盖. 已知三块桌布的面积分别是 40 平方分米、36 平方分米和 27 平方分米, 其中第一块和第二块桌布重叠的面积为 5 平方分米, 第二块和第三块重叠了 7 平方分米, 而第一块和第三块重叠了 4 平方分米. 如果三块重叠的部分等于 2 平方分米, 那么这张桌子的面积是多少?

文氏图是体现条件的最基本最直观的方法, 我们要灵活应用, 不能随便套用公式. 我们要先理解图中各部分的含义, 再来看相加时每个部分 "包含" 了几次, 然后把算重的部分减去.

例题 4

课间，王老师出了三道脑筋急转弯让学生做，其中只答对第 1 道题的人有 10 人，只答对第 2 道题的人有 6 人，只答对第 3 道题的人有 4 人．至少答对两道题的学生有 8 人，还有 5 名同学一道题也没答对．请问：

（1）王老师的班上有多少名学生？

（2）若既答对第 1 道又答对第 2 道题的同学有 4 人，三道题都答对的有 1 人，那么答对第 3 道题的同学有多少人？

「分析」画出三个对象文氏图，仔细找找题中所描述的条件分别对应图中的哪些部分？

这里需要指出的是，我们要留意题中的一些说法，比如"至少答对一道题"对应的是图中的什么区域？"至少答对两道题"对应的是图中的什么区域？"只答对一道题"呢？

练习 4

高思学校有学生 1000 人，现有《中国少年报》、《少年文艺》和《数学报》三种报刊，其中只订阅一种报刊的有 600 人，只订阅两种报刊的有 200 人，三种报刊都订阅的有 50 人，请问：这个学校有多少人没有订报？

挑战极限

例题 5

四年级一班有 46 名学生参加 3 项课外活动. 其中有 24 人参加了数学小组，20 人参加了语文小组，参加文艺小组的人数是既参加数学小组也参加文艺小组人数的 4 倍，又是 3 项活动都参加人数的 8 倍，既参加文艺小组也参加语文小组的人数相当于 3 项都参加的人数的 3 倍，既参加数学小组又参加语文小组的有 10 人. 请问参加文艺小组的人数是多少？

「分析」 图中每一部分分别代表什么呢？题目给了几个倍数关系，我们不妨设份数计算一下.

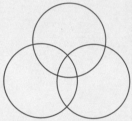

例题 6

某班共有学生 48 人，其中 27 人会游泳，33 人会骑自行车，40 人会打乒乓球. 那么，这个班至少有多少学生这三项运动都会？

「分析」 题目要我们求至少有多少人三项都会，那么也就是要只会两项的尽量多，此时文氏图很难进行分析，不妨画一下线段图试试吧！

文氏图

文氏图，也叫"维恩图"，是由英国著名数学家 Venn 发明的.

维恩（John Venn，公元 1834~1923）十九世纪英国著名的数学家和哲学家，生于英国赫尔. 他 1883 年获得理学博士学位，同年被选为英国皇家学会会员.

维恩最主要的成就是系统解释并发展了几何表示的方法，也就是发明了文氏图. 他作出一系列简单闭曲线（圆或更复杂的图形），将平面分为许多间隔. 利用这种图表，维恩阐明了演绎推理的基本原理. 为了进一步明确起见，他还引入了一些数学难题作为实例. 虽然在维恩之前，莱布尼茨（Leibniz）已系统地运用过这类逻辑图，但今天这种逻辑图仍称作"维恩图"（Venn Diagram）.

另外，维恩在概率论和逻辑学方面也有很大贡献，他的著作——《机会逻辑》和《符号逻辑》，在 19 世纪末 20 世纪初曾享有很高的声誉.

除了数学以外，维恩还有一项特别的技能——制作机器. 他曾制作过一部板球发球机，当澳洲板球队在 1909 年到访剑桥大学时，维恩的机器依然运作正常，并使他们其中一位成员打空四次.

151

作 业

1. 一个班有 50 个小学生，统计借课外书的情况是：全班学生都借有语文或数学课外书. 借语文课外书的有 39 人，借数学课外书的有 32 人. 请问：语文、数学两种课外书都借的有多少人？

② 六一班有学生 46 人，其中会骑自行车的 17 人，会游泳的 14 人，既会骑车又会游泳的 4 人，请问两样都不会的有多少人？

③ 许、王、原三位老师走进一家蛋糕店，发现这里的每一种糕点至少被她们中的一个人吃过．她们分别数了一下，许老师吃过其中的 15 种，王老师吃过其中的 10 种，原老师吃过其中的 6 种，有 8 种糕点许、王两老师都吃过，有 5 种糕点许、原两老师都吃过，有 3 种糕点王、原两老师都吃过，有 2 种糕点这三位老师都吃过．那么这个面包店有多少种糕点？

④ 五年级共有 110 人，其中 92 人参加了语文小组，51 人参加了英语小组，58 人参加了数学小组，至少参加 2 个小组的有 80 人，参加了三个小组的有 20 人．那么五年级有多少人没有参加小组？

⑤ 五年级共有 150 人，其中 92 人参加了语文小组，51 人参加了英语小组，30 人只参加了数学小组，既参加语文也参加英语小组的人有 35 人．那么五年级有多少人没有参加小组？

第二十讲 复杂抽屉原理

抽屉原理又称狄利克雷原理，是德国数学家首先明确提出来的，并用以证明一些数论问题的。它是组合数学中一个重要的原理。

狄利克雷
1805~1859

请证明：
任何六个人中，一定可以找到三个互相认识的人，或者三个互不认识的人。

抽屉原理第一次被引入到中学生数学竞赛中，是在1947年匈牙利的全国数学竞赛。由于这道题目形式新颖、解法巧妙，很快就在全世界广泛流传，使不少人知道了这一原理。

同学们，你们能用抽屉原理解决这个问题吗？

知识树

知识精讲

在《简单抽屉原理》中，我们学习了运用抽屉原理处理一些简单问题，以及最不利原则的一些简单应用.

抽屉原理：

把 m 个苹果放入 n 个抽屉（m 大于 n），结果有两种可能：

如果 $m \div n$ 没有余数，那么一定有抽屉至少放了"$m \div n$"个苹果；

如果 $m \div n$ 有余数，那么一定有抽屉至少放了"$m \div n$ 的商再加 1"个苹果.

例题 1

（1）口袋里有四种颜色的球，每种颜色足够多，一次至少要取几个球，才能保证其中一定有两个颜色相同？

（2）口袋里有四种颜色的球，每种颜色足够多，一次至少要取几个球，才能保证其中一定有四个颜色相同？

「分析」第（1）题中，好好思考一下，如果要想取出的球颜色都不相同，那么最多可以取出多少个球呢？

练习1 箱子里有 12 种形状不同的积木，每种都足够多，一次至少要取几个，才能保证其中一定有三个形状相同？

本讲，我们要学习抽屉原理在计数、数字、表格、图形等具体问题中较复杂的应用．要能根据已知条件合理地选取和设计"抽屉"与"苹果"，有时还要构造出能达到最佳效果的例子．

例题2 盒子里有四色球各 100 个，每次从中摸出 2 个球，请问：至少要摸几次，才能保证其中有三次摸出球的颜色情况是相同的？

「分析」从盒子中取出 2 个球，颜色情况一共有多少种可能呢？

练习2 小高把一副围棋混装在一个盒子里，然后每次从盒子中摸出 4 枚棋子，请问：他至少要摸几次，才能保证其中有三次摸出棋子的颜色情况是相同的？（围棋子有黑、白两种颜色）

例题3

将下图3行7列的方格纸的每格染成红色、黄色或绿色，要求每列的三个方格所染的颜色互不相同. 请说明不管怎么染，至少有两列染色方式是一样的.

「分析」题目要求我们说明有两列的染色方法一样，因此我们应该先考虑每列能够怎么染色. 方格纸一共有7列，根据抽屉原理，只要每列染色的方法少于7种，就会有两列染色方式一样. 那每列有哪些不同的染色方式呢？

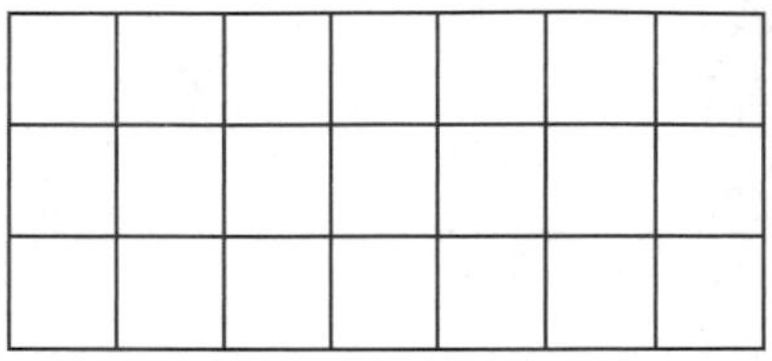

练习3

将2行5列的方格纸每一格染成黑色或白色，请说明不管怎么染，至少有两列染色方式是一样的.

156

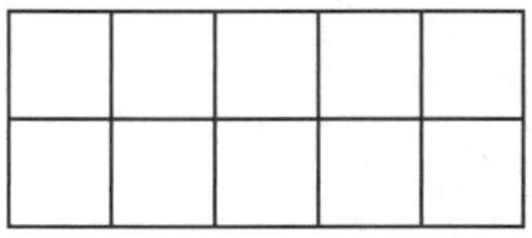

有很多抽屉原理的题目是与数字结合的，运用数字相关的一些知识来构造抽屉，这也是我们本讲要学习的重要内容.

例题4

1至30这30个自然数中，至少取出多少个数，才能保证其中一定有两个数的和等于31？至少取出多少个数，才能保证其中一定有两个数的差等于3？

「分析」要想使得任意两数之和都不等于31，我们最多可以取出多少数呢？

练习4 1至20这20个自然数中，至少取出多少个数，才能保证其中一定有两个数的和等于21？至少取出多少个数，才能保证其中一定有两个数的差等于5？

除了利用与数字相关的知识来构造抽屉之外，还有一些与图形周长、面积相关的问题．这类问题往往需要根据图形特点进行分割，从而构造出抽屉．

挑战极限

例题5

（1）在一个边长为2的正方形里随意放入3个点，这3个点所能连出的三角形面积最大是多少？

（2）在边长为4的正方形中随意放入9个点，这9个点中任何三点不共线，请说明：这9个点中一定有3个点构成的三角形面积不超过2．（本题中的点都可以放在正方形的边界上）

「分析」（1）在边长为2的正方形中放入3个点，我们比较容易想到正方形的三个顶点，三个顶点构成的三角形面积为2．那能否说明放在任意位置三角形面积都不超过2呢？

（2）由（1）的结论，正方形内3个点构成的三角形面积不超过正方形面积的一半．应该如何构造抽屉呢？

例题6

试说明：任意六个人中，一定可以找到三个互相认识的人，或者三个互不认识的人．

「分析」 我们不妨画个图来分析一下六个人之间的关系，用实线表示认识，用虚线表示不认识．思考一下，根据抽屉原理，你会发现其中的一个人"甲"与其他 5 个人的关系可能会是什么情况呢？

课堂内外

狄利克雷

狄利克雷（Dirichilet，Peter Gustay Lejeune）德国数学家，1805 年 2 月 13 日生于德国迪伦，1859 年 5 月 5 日卒于格丁根．

狄利克雷生活的时代，德国的数学正经历着以高斯为前导的、由落后逐渐转为兴旺发达的时期．狄利克雷以其出色的数学教学才能，以及在数论、分析和数学物理等领域的杰出成果，称为高斯之后与 C·G·J· 雅科比（Jacobi）齐名的德国数学界的一位核心人物．

狄利克雷出身于行政官员家庭，他父亲是一名邮政局长．狄利克雷少年时即表现出对数学的浓厚兴趣，据说他在 12 岁前就自己攒零钱购买数学图书．1987 年入波恩的一所中学，除数学外，他对近代史有特殊爱好，人们称道他是个能专心致志又品行优良的学生．两年后，他遵照父母的意愿转学到科隆的一所教会学校，在那里曾师从物理学家欧姆，学到了必要的物理学基础知识．

16 岁通过中学毕业考试后，父母希望他攻读法律，但狄利克雷已选定数学为其终身职业．当时的德国数学界，除高斯一人名噪欧洲外，普遍水平较低；又因高斯不喜好教学，于是狄利克雷决定到数学中心巴黎上大学，那里有一批灿如明星的数学家．

1822 年 5 月，狄利克雷到达巴黎，选定在法兰西学院和巴黎理学院攻读．1825 年，狄利克雷向法国科学院提交他的第一篇数学论文；1826 年，狄利克雷在为振兴德国自然科学研究而奔走的 A· 洪堡的影响下，返回德国，在布雷斯劳大学获讲师资格，后升任编外教授．

1828 年，狄利克雷又经洪堡的帮助来到学术氛围较浓厚的柏林，任教于柏林军事学院．同年，他又被聘为柏林大学编外教授，开始了他在柏林长达 27 年的教学与研究生涯．由于他讲课清晰，思想深邃，为人谦逊，淳淳善诱，培养了一批优秀数学家，对德国成为 19 世纪后期国际上又一个数学中心产生了巨大影响．1831 年，狄利克雷成为柏林科学院院士．

1855 年高斯去世，狄利克雷被选定作为高斯的继任到格丁根大学任教．1858 年夏，他去瑞士蒙特勒开会，做纪念高斯的演讲，突发心脏病．他安全返回了格丁根，但在病中遭夫人中风身亡的打击，病情加重，于 1859 年春与世长辞．

作业

1 箱子里有 5 种颜色相同的积木，每种都足够多，那么一次至少要取多少个，才能保证一定有 5 个颜色相同？

2 小高把一副围棋棋子混装在一个盒子里，然后每次从盒子里左右手各摸出 1 枚棋子，那么他至少要摸多少次，才能保证其中有三次摸出棋子的颜色情况是相同的？（围棋子有黑、白两种颜色）

3 从 1 至 50 中，至少取出多少个数，才能保证一定有两个数的和是奇数？

4 能否在 4 行 4 列的方格表的每个空格中分别填上 1、2、3 这三个数之一，而使大正方形的每行、每列及对角线上的各个数之和互不相同？

5 任意写一个由数字 1、2、3 组成的十一位数，从这个十一位数中任意截取相邻两位，可得一个两位数，请证明：在从各个不同位置上截得的所有两位数中，至少有两个相等.

第一讲 从洛书到幻方
例题详解

1

12	27	6
9	15	21
24	3	18

4	9	2
3	5	7
8	1	6

$\times 3$

12	27	6
9	15	21
24	3	18

详解：这 9 个数由 1~9 这 9 个数乘 3 得到，因此可根据基本三阶幻方的构建方法，将每个数乘 3 即可（如右上图）.

2

7	12	1	14
2	13	8	11
16	3	10	5
9	6	15	4

详解：由第 1 列可知幻和为 $7+2+16+9=34$，由于每行、每列、每条对角线上和相等，只要某行、某列、某条对角线有三个已知数，就可计算出另一个空格，如第 1 行第 3 个数为 $34-7-12-14=1$，其他空格依次类推.

3

4	7	7
9	6	3
5	5	8

详解：通过比较第 1 列和第 2 行，发现左上角的数是 4，这时幻和就可以通过斜对角线求出来是 18.

4 （1）

2	9	4
7	5	3
6	1	8

（2）

12	10	5
2	9	16
13	8	6

详解：

（1）中间数是 5，幻和就是 15，接下来可根据幻和来填其他数.

（2）根据幻和是 27，可填出幻方中心的数是 9，其他可据幻和依次填出.

5

2	9	1	10	4
3	7	8	2	6
5	3	8	4	6
8	4	9	2	3
8	3	0	8	7

详解：如右上图，粗线圈圈出的第 2 行和第 5 列有公共格，因此可知 $a=(3+7+8+2)-(6+3+7)=4$；细线圈圈出的第五行

和第二列有公共格，因此 $b=(9+7+3+4)-(0+8+7)=8$，由此可知对角线上五个数为 8、4、8、2、4，和为 26，因此幻和为 26，可结合比较法和幻和填出剩下的空格.

6

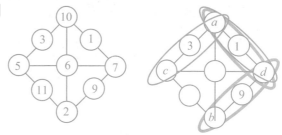

详解：使用比较法，右上图中，粗线圈圈出的两条直线有公共格，因此 $a+1=b+9$，可知 a 比 b 大 8，则（a，b）可以是（11、3），（10、2）或（9、1），其中 1、3、9 都出现过，因此 a、b 只能是 10、2. 右上图中，细线圈圈出的两条直线也有公共格，因此 $c+3=d+1$，可知 d 比 c 大 2，c、d 不能是 1、2、3、9、10，因此只能是 5、7. 剩下两个格也可通过比较法确定.

练习简答

1

28	63	14
21	35	49
56	7	42

简答：可根据基本三阶幻方的构建方法，将每个数乘 7 即可.

2 15

简答：通过对角线可知幻和为 34，从而可依次填出其他数，如右图所示.

1	14	7	12
15	4	9	6
10	5	16	3
8	11	2	13

3

14	11	29
33	18	3
7	25	22

简答：通过比较第 3 行和第 2 列，发现中间数是 18，这时幻和就可以通过斜对角线求出来是 54.

4 （1）

7	12	8
10	9	8
10	6	11

（2）

12	7	11
9	10	11
9	13	8

简答：

（1）中间数是 9，幻和就是 27，接下来可根据幻和来填其他数.

（2）根据幻和是 30，可填出幻方中心的数是 10，其他可根据幻和依次填出.

161

作业简答

1

16	2	12
6	10	14
8	18	4

简答：由 1~9 基本三阶幻方得来.

2

3	16	5	10
6	9	4	15
12	7	14	1
13	2	11	8

简答：根据 1~16 的总和，能够算出幻和为 $(1+2+3+4+\cdots+16)\div4=34$ ，其他根据幻和可以一一填出.

3

11	22	27
36	20	4
13	18	29

简答：根据三阶幻方性质求解.

4 如图

4	9	8
11	7	3
6	5	10

简答：幻和为 21，所以中间数字为 7. 然后应用三阶幻方的性质就可以填出其他空格.

5

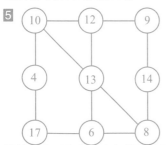

简答：左下角和右上角的两个圆圈中填的数差 8，左下角填 17，右上角填 9. 那么 9 的左边填 12，左上角的数比右下角的数大 2，分别为 10 和 8，最中间的圆圈填 13.

第二讲 小数巧算

例题详解

1 （1）10；（2）4.6

详解：

（1） 原式 $=(7.973-1.473)+(1.275+2.225)=6.5+3.5=10$.

（2）分组配对：

原式 $=(0.1+0.9)+(0.2+0.8)+(0.3+0.7)+(0.4+0.6)+0.5+0.1=4+0.6=4.6$.

2 （1）123；（2）14.24；（3）1；（4）0.0078；

（5）0.0123；（6）0.07；（7）1.61；（8）0.8

详解：略. 注意基本运算规则.

3 （1）2.6；（2）6

详解：（1）原式 $=1.25\times8\times0.26=10\times0.26=2.6$ ；

（2）原式 $=(4.5\div15)\times(4.8\div0.24)=0.3\times20=6$.

4 （1）9.46；（2）12

详解：（1）可以直接提公因数：

原式 $=8.6\times0.37+0.73\times8.6=8.6\times(0.73+0.37)=8.6\times1.1=9.46$ ；

（2）1.2 和 2.4 是 2 倍关系，提公因数时只能提 1.2：

原式 $=1.2\times3.3+1.2\times2\times3.35=1.2\times(3.3+2\times3.35)$

$=1.2\times(3.3+6.7)=12$

5 （1）10；（2）3996

详解：

（1）原式 $=1.25\times3.14+1.25\times4.86=1.25\times(3.14+4.86)$

$=1.25\times8=10$ ；

（2）原式 $=2999\times1.998-1.998\times999=(2999-999)\times1.998$

$=2000\times1.998=3996$.

6 581

详解：

原式 $=4.32\times(23.5+34.6)+0.581\times568=4.32\times58.1+58.1\times5.68$

$=58.1\times(4.32+5.68)=581$

练习简答

1 （1）38；（2）12.5

简答：

（1）原式 $=1.34+2.56+34.1=3.9+34.1=38$ ；

（2）原式 $=2.5\times5=12.5$.

2 （1）1.2345；（2）26.7；（3）12345；（4）0.125.

简答：略. 注意基本运算规则.

3 （1）13.6；（2）0.92

简答：（1）$0.25\times40\times1.36=10\times1.36=13.6$ ；

（2）$0.56\div1.4\times2.3=0.4\times2.3=0.92$.

4 （1）0.27；（2）22

简答：

（1）原式 $=4.5\times7-4.5\times6.94=4.5\times(7-6.94)=4.5\times0.06$

$=0.27$ ；

（2）原式 $= 1.1 \times 17.6 + 3.3 \times 0.8 = 1.1 \times 17.6 + 1.1 \times 3 \times 0.8$

$= 1.1 \times (17.6 + 2.4) = 1.1 \times 20 = 22$．

作业简答

1 （1）18.33；（2）2.875；（3）0.14；（4）3.03

简答：小数加减法计算时，要注意小数点的对齐；小数乘法计算，可先当做整数计算，再点小数点；小数除法计算，要把除数先变成整数，被除数也相应扩大，商的小数点与除数对齐．

2 2.6

简答：原式 $= (0.2 + 0.4 + 0.6 + 0.8) + (0.12 + 0.14 + 0.16 + 0.18)$

$= 2 + 0.6 = 2.6$．

3 （1）3；（2）11

简答：

（1）原式 $= 4 \times 2.5 \times 3.3 \div 11 = (4 \times 2.5) \times (3.3 \div 11) = 10 \times 0.3 = 3$；

（2）原式 $= 11 \div (0.125 \times 8) = 11 \div 1 = 11$．

4 13.4

简答：直接提取公因数，

原式 $= (1.242 + 0.758) \times 6.7 = 2 \times 6.7 = 13.4$．

5 357

简答：小数中提取公因数时要注意小数点的移动，35.7变成3.57，小数点向左移动一位，那么5.24的小数点要向右移动1位，变成52.4，然后再提取公因数，原式 $= 3.57 \times (52.4 + 47.6) = 357$．

第三讲 多人多次相遇与追及
例题详解

1 3分钟

详解：甲和乙相遇时的路程和是2700米，速度和是100米/分，所以相遇时间是 $2700 \div 100 = 27$ 分钟．甲和丙相遇时的路程和也是2700米，速度和是90米/分，所以相遇时间是 $2700 \div 90 = 30$ 分钟，所以又过了3分钟甲和丙才相遇．

2 40千米/时

详解：首先画出线段图（如下图），有两次相遇，其中还隐藏了一次追及问题．AB 全程：$(70 + 50) \times 3 = 360$ 千米．咚咚和铛铛相遇时间是4小时，他们速度和是：$360 \div 4 = 90$ 千米/时，那么咚咚的速度是 $90 - 50 = 40$ 千米/时．

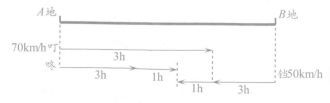

3 32千米/时

详解：首先画出线段图，包括两次相遇和一次追及．在这种类型的题目中，有一段非常重要的路程（即红色部分标出的）．这段是甲车、乙车6个小时行驶的路程差，也是乙车和卡车1个小时的路程和．如果能够求出这段路程是多少，就可以将两个运动过程联系起来．甲车和乙车的速度差是12千米/时，6个小时行驶的路程差是72千米．所以乙车和卡车1个小时行驶的路程和是72千米．乙车和卡车的速度和是 $72 \div 1 = 72$ 千米/时．所以卡车的速度是 $72 - 40 = 32$ 千米/时．

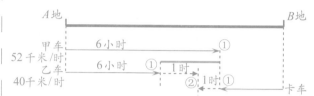

4 16500米

详解：画出线段图如下，从出发到①时刻，有甲和乙的相遇，乙和丙的同向行驶，由甲、乙相遇求 AB 距离、即路程和，速度和已知，需要求时间．乙、丙同向行驶，速度差已知，如果知道路程差就可以求时间．①→②时间内，是甲、丙的相遇过程，时间为15分钟，知道速度和，可得①→②甲、丙路程和为 $(40 + 60) \times 15 = 1500$ 米．接下来的关键和例3是一样的，路程和同时也是路程差，即乙、丙路程差为1500米，追及时间为 $1500 \div (50 - 40) = 150$ 分钟，即从出发到①时刻共150分钟，全程为 $(50 + 60) \times 150 = 16500$ 米．

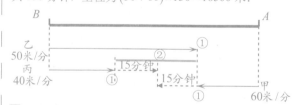

5 6小时

详解：先将行程图补充完整（见下图）．设甲走了"4"，乙和丙都走了"2"．此时甲在乙、丙中点，所以图中虚线段表示的路程是相等的，都是"2"．所以全程是"8"，即48千米，所以"1"是6千米，甲走了"4"是24千米，速度是4千米/时，所以行走时间是6小时．另外一个方法是，乙、丙的速度是一样的，其实，乙、丙中点始终就是全程的中点．所以甲行走到乙、丙中点时，甲一定也在全程的中点，所以甲走了24千米，速度是4千米/时，行走时间仍然是6小时．

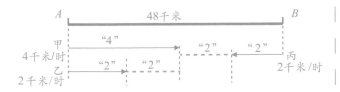 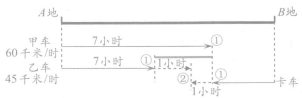

6 10 小时

详解：先将行程图补充完整（见下图）．设甲走了"4"，乙和丙都走了"2"．此时丙在甲、乙中点，所以图中虚线段表示的路程是相等的，都是"1"．所以全程是"5"，即 50 千米，所以"1"是 10 千米．甲走了"4"是 40 千米，速度是 4 千米 / 时，所以行走时间是 10 小时．

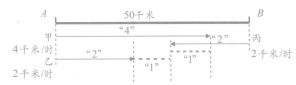

练习简答

1 20 分钟

简答：雪雪和霜霜相遇时的路程和是 990 米，速度和是 11 米 / 分，所以相遇时间是 990÷11＝90 分钟．雪雪和冰冰相遇时的路程和也是 990 米，速度和是 9 米 / 分，所以相遇时间是 990÷9＝110 分钟，又过了 20 分钟雪雪和冰冰才相遇．

2 35 千米 / 时

简答：有两次相遇，其中还隐藏了一次追及问题．
AB 全程：$(60＋40)×3＝300$ 千米．小秋和小夏相遇时间是 4 小时，他们速度和是：300÷4＝75 千米 / 时，那么小秋的速度是 75－40＝35 千米 / 时．

3 60 千米 / 时

简答：首先画出线段图，包括两次相遇和一次追及．在这种类型的题目中，有一段非常重要的路程（即红色部分标出的）．这段是甲车、乙车 7 个小时行驶的路程差，也是乙车和卡车 1 个小时的路程和．如果能够求出这段路程是多少，就可以将两个运动过程联系起来．甲车和乙车的速度差是 15 千米 / 时，7 个小时行驶的路程差是 105 千米．所以乙车和卡车 1 个小时行驶的路程和是 105 千米．乙车和卡车的速度和是 105÷1＝105 千米 / 时．所以卡车的速度是 105－45＝60 千米 / 时．

4 9000 米

简答：画出线段图如下，从出发到①时刻，有刘和关的相遇、关和张的同向行驶，由刘、关相遇求 *AB* 距离、即路程和，速度和已知，需要求时间．关、张同向行驶，速度差已知，如果知道路程差就可以求时间．①→②时间内，是刘、张的相遇过程，时间为 10 分钟，知道速度和，可得①→②刘、张路程和为 $(40＋50)×10＝900$ 米．接下来的关键和例 4 是一样的，路程和同时也是路程差，即关、张路程差为 900 米，追及时间为 900÷(60－50)＝90 分钟，即从出发到①时刻共 90 分钟，全程为 (40＋60)×90＝9000 米．

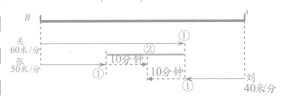

作业简答

1 400 千米；35 千米 / 时

简答：全程长：$(55＋45)×4＝400$ 千米，小松与小梅用了 5 小时相遇，所以小松的速度为：400÷5－45＝35 千米 / 时．

2 120 千米；55 千米 / 时

简答：8 小时内甲、乙两车的路程差为 $(80－65)×8＝120$ 千米．甲、乙两辆车的路程差就是后面 1 小时内乙车与卡车的路程和，所以卡车的速度为：120÷1－65＝55 千米 / 时．

3 210 米；4620 米

简答：哈利和赫敏 2 分钟内的路程和也是罗恩和赫敏的路程差，根据这个关系可知当哈利和罗恩相遇时，赫敏和罗恩相距 2×(60＋45)＝210 米．可求出哈利与罗恩相遇所用的时间是 210÷(50－45)＝42 分，全程为 42×(60＋50)＝4620 米．

4 55 千米

简答：小亮行驶的总时间就是小明、小光的相遇时间：60÷(8＋4)＝5 小时，所以路程为 55 千米．

5 6 小时

简答：当老郭在老贺与老刘的中点时，老郭的路程是"3"份，老贺和老刘的路程都是"1"份．这时老郭和老刘相距"2"份，老郭和老贺也相距"2"份，全程 36 千米相当于是"6"份，"1"份是 6 千米，也即老贺走了 6÷1＝6 小时，老郭正好在老贺与老刘的中点．

第四讲 格点图形面积计算

例题详解

1 7平方厘米；5平方厘米；11平方厘米

详解：如图所示，用分割法、添补法.

三个图形的面积分别是：$4 \times 1 + 1 \times 1 + 1 \times 2 = 7$ 平方厘米；

$4 \times 3 - 2 \times 3 \div 2 - 2 \times 2 \div 2 - 1 \times 4 \div 2 = 5$ 平方厘米；

$3 \times 2 \div 2 + 3 \times 2 + 2 \times 2 \div 2 = 11$ 平方厘米.

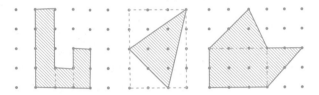

2 ① 6平方厘米；② 12平方厘米；③ 4平方厘米；④ 7平方厘米；⑤ 9平方厘米

详解：①：$3 \times 2 = 6$ 平方厘米；②：$4 \times 3 = 12$ 平方厘米；

③：$2 \times 2 = 4$ 平方厘米；

④：

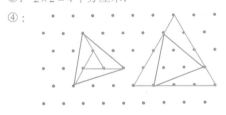

$1 \times 2 + 1 \times 2 + 1 \times 2 + 1 = 7$，

或：$4 \times 4 - 1 \times 3 - 1 \times 3 - 1 \times 3 = 7$.

⑤：

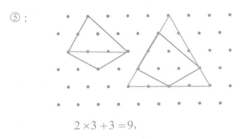

$2 \times 3 + 3 = 9$，

或：$4 \times 4 - 1 \times 2 - 1 \times 2 - 1 \times 3 = 9$.

3 6.5平方厘米

详解：内部格点：3个，边界格点：9个.

面积 $= 3 + 9 \div 2 - 1 = 6.5$ 平方厘米.

4 34平方厘米

详解：内部格点：7个；边界格点：22个.

面积：$7 \times 2 + 22 - 2 = 34$ 平方厘米.

5 （1）19.5平方厘米；（2）31.5平方厘米

详解：可以分割、添补，也可以用公式法：

（1）内部格点：4个；边界格点：7个.

面积：$(7 \div 2 + 4 - 1) \times 3 = 19.5$ 平方厘米；

（2）内部格点：8个；边界格点：7个.

面积：$(7 \div 2 + 8 - 1) \times 3 = 31.5$ 平方厘米.

6 （1）28平方厘米；（2）56平方厘米

详解：可以分割、添补，也可以用公式法：

（1）内部格点：4个；边界格点：8个.

面积：$(4 \times 2 + 8 - 2) \times 2 = 28$ 平方厘米；

（2）内部格点：3个；边界格点：10个.

面积：$(3 \times 2 + 10 - 2) \times 4 = 56$ 平方厘米.

练习简答

1 3平方厘米；10平方厘米

简答：如图，分别用分割法、添补法.

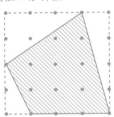

2 ① 12；② 20；③ 5；④ 18

简答：

①：$3 \times 4 = 12$ 平方厘米；

②：直接数，每层4个，共5层，$4 \times 5 = 20$ 平方厘米；

③：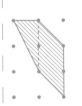　④：

$1 \times 1 + 1 \times 2 + 1 \times 2 = 5$；　$1 \times 2 + 2 \times 3 + 1 \times 2 + 8 = 18$.

3 13

简答：内部格点：1个，边界格点：13个.

面积：$(1 + 13 \div 2 - 1) \times 2 = 13$.

4 17平方厘米

简答：内部格点：1个；边界格点：17个.

面积：$1 \times 2 + 17 - 2 = 17$ 平方厘米.

作业简答

1 6；6.5

简答：可用分割或添补法完成.

2 7；12

简答：使用割补法分别计算.

3 56

简答：大正三角形的面积是 $25 \times 4 = 100$ 平方厘米，利用添补法可得.

4 29

简答：综合利用分割法与添补法．也可以用正方形格点图形面积公式计算．注意每个最小正方形面积是 2．

5 44

简答：综合利用分割法与添补法．也可以用三角形格点图形面积公式计算．注意每个最小正三角形面积是 2．

第五讲　割补法巧算面积
例题详解

1 32 平方厘米

详解：对这个图形进行简单分割后，分别求面积再相加．$3 \times 2 + 2 \times 4 + 3 \times 6 = 32$ 平方厘米．也可对图形进行添补．（如右图）

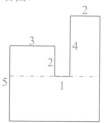 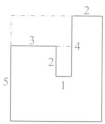

2 16 平方厘米

详解：正方形面积是 36 平方厘米，三角形 AEH、FCG 的面积是 2 平方厘米，三角形 EBF、GDH 的面积是 8 平方厘米．长方形 $EFGH$ 的面积是 $36 - 2 \times 2 - 8 \times 2 = 16$ 平方厘米．

3 50 平方厘米

详解：首先可把小正方形中的阴影部分向外添补到相邻的空白处，则中间小正方形的面积等于四个角上的阴影三角形的面积和．可连接大正方形对边的中点，也可以把四个三角形向中间对折都可以说明阴影部分的面积是大正方形面积的一半，即为 $10 \times 10 \div 2 = 50$ 平方厘米．

4 27 平方分米

详解：图 1 中大三角形被分成 9 块，阴影部分面积占 3 块，面积是 48 平方分米，那么每个小三角面积是 16 平方分米，大三角形面积是 $16 \times 9 = 144$ 平方分米．图 2 中大三角形被分成了 16 块，那么每个小三角形的面积是 $144 \div 16 = 9$ 平方分米，阴影部分面积是 $9 \times 3 = 27$ 平方分米．

5 32 平方厘米

详解：对图形进行如下图的分割，通过第一个图，我们知道等腰直角三角形的面积是 72 平方厘米．那么第二个图中每个小三角形面积是 8 平方厘米，正方形 B 的面积是 32 平方

厘米．

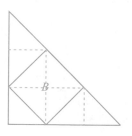 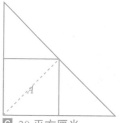

6 20 平方厘米

详解：如图所示，把原图添补成一个大的等腰直角三角形．需要将多余的小直角三角形去掉才是原图．大等腰直角三角形的底是 7 厘米，高是 7 厘米，所以面积是 $7 \times 7 \div 2 = 24.5$ 平方厘米；小等腰直角三角形的底是 3 厘米，高是 3 厘米，所以面积是 $3 \times 3 \div 2 = 4.5$ 平方厘米．所以四边形的面积是 $24.5 - 4.5 = 20$ 平方厘米．

练习简答

1 78 平方厘米

简答：$4 \times 9 + 2 \times 3 + 3 \times 12 = 78$ 平方厘米．

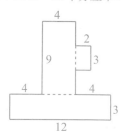

2 10 平方厘米

简答：正方形面积是 36 平方厘米，三角形 AEF 的面积是 2 平方厘米，三角形 BEC、DFC 的面积都是 12 平方厘米．三角形 EFC 的面积是 $36 - 2 - 12 - 12 = 10$ 平方厘米．

3 5 平方厘米

简答：大正三角形被分成 12 块，阴影部分占 6 块，占总个数的一半，面积为 5 平方厘米．

4 150

简答：图 1 中大正方形被分成 25 块，阴影部分面积占 18 块，面积是 162，那么每个小正方形面积是 9，大正方形面积是 $25 \times 9 = 225$．图 2 中大正方形被分成了 9 块，那么每个小正

方形的面积是 $225 \div 9 = 25$ ，阴影部分面积是 $25 \times 6 = 150$ ．

作业简答

1 84 平方厘米

简答：$3 \times 12 + 4 \times (3 + 3 + 3) + 3 \times 2 \times 2 = 84$ 平方厘米．

2 18 平方厘米

简答：首先求出大正方形的面积，再求出各个角上的小三角形的边长和面积．然后把大正方形的面积减去四个小三角形的面积就得梯形的面积．

3 6

简答：将右侧两个阴影三角形切下来添到左侧空白处，使其拼成一个大的三角形．阴影面积是平行四边形面积的一半．所以阴影部分的面积是 6．

4 80

简答：对三角形进行分割，能知道每个小三角形的面积是 $100 \div 5 = 20$ ，阴影正方形的面积是 80．

5 9

简答：把大六边形划分为 24 个小正三角形，其中阴影部分可以分成 6 个小正三角形，所以大六边形是阴影部分面积的 4 倍，正六边形面积是 36，阴影部分的面积是 $36 \div 4 = 9$ ．

第六讲 横式问题
例题详解

1 （1）1；（2）2

详解：（1）$12 \times 23 \square = \square 32 \times 21$ ，根据右边的算式，可得乘积个位是 2，所以左边的"$\square$"中可填 1 或 6；然后进行位数估算：如果填 6，左边算式结果是四位数，右边结果是五位数，明显不符合，所以填 1．

（2）$\square 4 \times 6153 = 3516 \times 4 \square$ ，根据左边的算式，可得乘积个位是 2，所以左边的"$\square$"中可填 2 或 7；然后进行位数估算：如果填 7，左右两边结果明显相差很大，所以填 2．

2 9876

详解：观察横式的特点，四位数乘以一位数得到五位数，而这个五位数的最高位是 8，位数分析和首位估算相结合，只有九千多乘九才能得到八万多，因此四位乘数的最高位是 9，另外一位乘数是 9．然后从首位开始分析，根据进位可得算式为 $9876 \times 9 = 88884$ ．

3 $63 \times 73 = 4599$

详解：首先进行末位分析 $3 \times \square = 9$ ，所以第二个乘数的个

位只能是 3．此时将横式转化成乘法竖式（见下图）．第二个乘积的百位可能是 3 或 4，当第二个乘积的百位是 3，第二个乘数的十位只能是 5 或 6，此时竖式不成立；当第二个乘积的百位是 4，第二个乘数的十位只能是 7，此时竖式成立．即 $63 \times 73 = 4599$ ．

$$
\begin{array}{r}
6\ 3 \\
\times \ \square\ 3 \\
\hline
1\ 8\ 9 \\
\square\ \square\ \square \\
\hline
4\ \square\ \square\ 9
\end{array}
$$

4 $13 + 7 = 4 \times 5 = 20$ 或 $17 + 3 = 4 \times 5 = 20$

详解：首先 0 只能填在最后一个小框内，填在其他的任何位置，要么会不符合格式，要么会出现两个相同的数字．然后只有 2×5 ，4×5 的积尾数为 0，如果中间的框填 2×5 ，那么与前面的 $\square\square + \square$ 矛盾．所以只能填 4×5 ．前面的框填 $13 + 7$ 或 $17 + 3$ ．

5 10404

详解：首位估算易得，A 只能是 1．列出竖式（见下图）．发现第二个乘积的百位应当为 0，因此第二个乘积实际上不存在，$B = 0$ ．这样第一个乘积的十位是 0，$C \times C$ 不进位，尝试可知，$C = 2$ ．这个乘积就是 10404．

$$
\begin{array}{r}
1\ B\ C \\
\times \ 1\ B\ C \\
\hline
\square\ \square\ \square \\
\square\ \square\ \square \\
1\ B\ C \\
\hline
1\ B\ D\ B\ D
\end{array}
$$

6
$$
\begin{cases}
5 - 4 = 1 \\
6 + 3 = 9 \\
72 \div 8 = 9 \\
1 \times 9 = 9
\end{cases}
$$

详解：从乘法入手，只能是 $1 \times 9 = 9$ ，此时 1 和 9 都使用过，数字 8 不能在加法算式中出现．所以 8 只能出现在减法算式或除法算式中．当 8 出现在减法算式中，只能是 $8 - 7 = 1$ ；此时剩下的 5 个数是 2、3、4、5、6．这 5 个数能够组成的除法算式只有 $36 \div 4$ ；$54 \div 6$ ，这两种情况剩下的两个数之和不是 9，无法满足加法算式，所以 8 不能出现在减法算式中；因此 8 只能出现在除法算式中，除法算式只能是 $72 \div 8$ ，剩下的四个数是 3、4、5、6，其中加法算式可以是 $6 + 3$ 或 $5 + 4$ ，要得到剩下的两个数差 1，加法算式只能是 $6 + 3$ ，减法算式就是 $5 - 4$ ．

167

练习简答

1 1

简答：□8×891=198×8□，根据左边的算式，可得乘积个位是8，所以左边的"□"中可填1或6；然后进行位数估算：如果填6，左右两边结果明显相差很大，所以填1.

2 9739

简答：观察横式的特点，四位数乘以一位数得到五位数，而这个五位数的最高位是8，位数分析和首位估算相结合，只有九千多乘以九才能得到八万多，因此四位乘数的最高位是9，另外一位乘数是9. 然后从首位开始分析，根据进位可得算式为9739×9=87651.

3 57×93=5301

简答：首先进行末位分析7×□=1，所以第二个乘数的个位只能是3. 此时将横式转化成乘法竖式（见右图）. 第二个乘积的百位可能是4或5，第二个乘数的十位只能是9，此时竖式成立. 即57×93=5301.

$$
\begin{array}{r}
5\ 7 \\
\times\ \boxed{\ }\ 3 \\
\hline
1\ 7\ 1 \\
\boxed{\ }\ \boxed{\ }\ \boxed{\ } \\
\hline
5\ \boxed{\ }\ \boxed{\ }\ 1
\end{array}
$$

4 1+3=20÷5=4

简答：首先0只能填在被除数的个位，填在其他的任何位置，要么会不符合格式，要么会出现两个相同的数字. 然后只有10÷2、10÷5、20÷4、20÷5、30÷5或40÷5，一一尝试可得只能为20÷5.

作业简答

1 64×253=352×46

简答：算式左右对称，所以两个方框内填的数字相同，右边式子乘积末位是2，所以左边的方框内只可能是3或8. 经计算，只有3正确.

2 8132÷38=214 或 8322÷38=219

简答：商的首位是2，商的末位可以是4或9. 分别尝试发现两种情况都成立.

3 10890

简答：转换成竖式，$D \times D$ 的末尾是1，D 有1和9两种可能，排除1，D 只能是9. 接下来利用首位分析和尾数分析，得出 A 是1，B 是0，C 是8. 所以 $\overline{ABCD} + \overline{DCBA} = 1089 + 9801 = 10890$.

4 3×34=102

简答：数字0只能填在乘积的十位，最大的数字是4，所以乘积的百位只能是1，积为一百零几，乘数只能是三十几，

乘数的十位为3，又有3×4=12，即可填出.

5 7×8=56；3×4=12

简答：1至8中，乘积十位是5的只有7×8=56，所以第二个算式就是3×4=12.

第七讲 平均数问题

例题详解

1 18元

详解：平均价格要用总价钱除以总重量 = $(10×200+30×100+20×200)÷(200+100+200)=18$ 元.

2 235.4

详解：基准数法：总和 = $235×10+0+4-2+3-1+1-3+1+2-1=235×10+4$.

所以平均数为：$(235×10+4)÷10=235.4$.

3 40千克

详解：个数不变的时候，总量的变化是"平均数的变化 × 个数". 个数是20：

平均数的变化　　　　　　　 $37-35=2$ 千克，

总量的变化　　　　　　　　 $2×20=40$ 千克，

所以这个同学原来的体重应该是 $80-40=40$ 千克.

4 66

详解：个数发生变化的时候，我们有两种方法：

第一个方法是直接使用平均数的公式

8名学生总体重　　　　　 $8×48=384$ 千克，

9个人总体重　　　　　　 $9×50=450$ 千克，

增加的体重即老师的体重　 $450-384=66$ 千克.

第二个方法仍然是根据平均数的变化，平均数从48变成了50，是因为走进来的老师把自己的一部分体重平均分给了8个学生，一共要分 $8×(50-48)=16$ 千克，平均后老师的体重变成了50千克，所以老师原来的体重是 $50+16=66$ 千克.

5 282分

详解：

如图所示，$48×(289-285)=192$ 分；$192÷64=3$ 分；$285-3=282$.

6 55 厘米

详解：从下图可以看出，在"移多补少"的过程中，把精灵高出矮人的部分全部平分给所有精灵，多出的部分是 $25 \times 20 = 500$ 厘米，一共有 $25 + 75 = 100$ 个人，所以每个人平均分到 $500 \div 100 = 5$ 厘米，所以矮人的平均身高是 55 厘米.

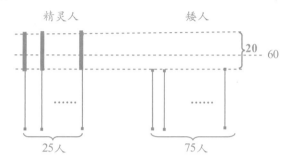

练习简答

1 8.5 元

简答：平均价格要用总价钱除以总重量：
$(3 \times 8 + 1 \times 7 + 2 \times 10) \div (3 + 1 + 2) = 8.5$ 元.

2 105

简答：基准数法：

总和 $= 105 \times 8 - 2 + 4 + 0 - 4 + 5 - 3 + 1 - 1 = 105 \times 8$.

所以平均数为：$105 \times 8 \div 8 = 105$.

3 1.6 米

简答：个数不变的时候，总量的变化等于"平均数的变化 $\times$ 个数"，个数是 20：

平均数的变化　　　　 $1.66 - 1.65 = 0.01$ 米，
总量的变化　　　　　 $0.01 \times 20 = 0.2$ 米，

所以这个同学的身高是 $1.8 - 0.2 = 1.6$ 米.

4 136 厘米

简答：个数发生变化的时候，我们有两种方法：第一个方法是直接使用平均数的公式，6 名学生，平均身高是 150 厘米，所以总身高是 $6 \times 150 = 900$ 厘米；7 个人平均身高是 148 厘米，所以总身高是 $7 \times 148 = 1036$ 厘米，那么增加的身高就是进来的女生的身高即 $1036 - 900 = 136$ 厘米；第二个方法仍然是根据平均数的变化，平均数从 150 变成了 148，这是因为其他 6 个人把自己的身高给了这个女生，其他 6 个人的平均身高下降 2 厘米，所以共分给这个女生 $2 \times 6 = 12$ 厘米，所以进来女生的身高是 $148 - 12 = 136$ 厘米.

作业简答

1 90.5

简答：利用基准数法，得出答案是 90.5.

2 46.25

简答：$(100 \times 80 + 50 \times 10 + 50 \times 15) \div (100 + 50 + 50) = 46.25$ 元.

3 90

简答：原来 8 个数总和为 400，改动后 8 个数总和为 480，增加了 80，说明这个数改动之后为 $10 + 80 = 90$.

4 162 厘米

简答：方法一：可利用求总量来解题：$99 \times 8 - 90 \times 7 = 162$ 厘米.

方法二：可通过"移多补少"来做，七个小矮人平均身高增多的部分来自于白雪公主，$7 \times (99 - 90) = 63$ 厘米，白雪公主的身高为移出的部分加上平均后的身高，$63 + 99 = 162$ 厘米.

5 22

简答：首先画出竖线图，12 只狮子把比超过 25 的那部分总量平均分给了这群老虎，这部分总量为 $12 \times (30 - 25) = 60$ 斤，老虎总平均后增加的数是 $60 \div 20 = 3$ 斤，所以平均每只老虎每天吃 $25 - 3 = 22$ 斤.

第八讲 复杂数阵图
例题详解

1
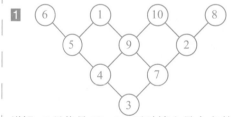

详解：9 只能是 $10 - 1$，可以填入最上方的 6、1、10，接下来可填入 8，只能在右上角，其他数便可一一填入了.

2
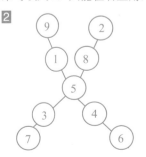

详解：有两种重数（1 和 4），中间圆圈的重数是 4，$4 \times$ 公共和 $=$ 所有和 $+ 3 \times$ 中间数，公共和是 15，所有和是 45，所以中间数就是 5，那么每一条直线上的另外两个数的和都是 10，即 1、9；2、8；3、7；4、6.

3 有三种可能：

详解：$3 \times$ 公共和 $=1+2+\cdots+7+$ 中 $\times 2$，

$3 \times$ 公共和 $=28+$ 中 $\times 2$，有三种情况：

（1）中 $=1$，公共和 $=10$；（2）中 $=4$，公共和 $=12$；

（3）中 $=7$，公共和 $=14$．

4

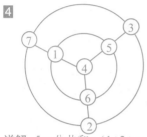

详解：$5 \times$ 公共和 $=(1+2+\cdots+7)\times 2+$ 中，$5 \times$ 公共和 $=56+$ 中，

所以中间数只能为 4，公共和 $=12$．直线上除最里面的 4，

剩下两个数之和为 8，分别是 $1+7$、$2+6$ 和 $3+5$，然后尝

试调整使得圆周的和也都等于 12．

5 最小的公共和是 24

详解：10 个数是 2，3，$\cdots$，10，11，$2+3+4+\cdots+11=65$．

图中 3 个 2×2 正方形中 4 个数之和相等，如上右图

$3 \times$ 公共和 $= A+B+65$，则 $A+B$ 可以试填 5，6，$\cdots$ 要使得

公共和最小，$A+B$ 只能是 7，所以 A、B 可以填 2、5；3、4．

而这个相等的公共和是 24．经过尝试后其他格均可以填出，

上面给出两种填法．

6 答案不唯一，$A+B+2 \times C=27$，最大公共和是 21．

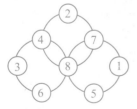 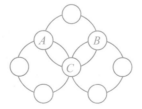

详解：重数有三种，A、B 格的重数是 2，C 格的重数是 3，

其他格都是 1；所以 A、B、C 是特殊格．

$3 \times$ 公共和 $=(A+B+2 \times C)+$ 所有和．所有和是 36，所

以 $A+B+2 \times C$ 可能是 9，12，15，$\cdots$ 要使公共和最大，

$A+B+2 \times C$ 只能是 27，此时公共和是 21．A、B、C 可以是 4、

7、8．答案不唯一．

1

简答：题设 b 填 7：$7=8-1$，而 8 最大，所以只能在边上，

a 填 1．然后注意尝试即可得 d 填 2．

2

简答：有两种重数（1 和 3），中间圆圈的重数是 3，$3 \times$ 公

共和 $=$ 所有和 $+2 \times$ 中间数，公共和是 14，所有和是 36，所

以中间数就是 3，那么每一条直线上的另外几个数的和就是

11，即 1、2、8；4、7；5、6．

3 其中三种情况：

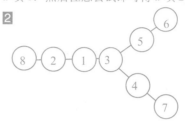

简答：

$3 \times$ 公共和 $=1+2+\cdots+9+$ 尖 $\times 2$，

$3 \times$ 公共和 $=45+$ 尖 $\times 2$，有三种情况：

（1）尖 $=3$，公共和 $=17$；（2）尖 $=6$，公共和 $=19$；

（3）尖 $=9$，公共和 $=21$．

4

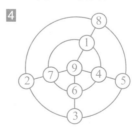

简答：$6 \times$ 公共和 $=(1+2+\cdots+9)\times 2+$ 中 $\times 2$，

$6 \times$ 公共和 $=90+$ 中 $\times 2$，所以中间数可以为 3、6、9．

（1）如果中 $=3$，则公共和 $=16$，此时直线上除最里面的 3，

剩下的两个数之和为 13，题目数据无法满足，排除；

（2）如果中 $=6$，则公共和 $=17$，此时直线上除最里面的 6，

剩下的两个数之和为 11，题目数据无法满足，排除；

（3）如果中 $=9$，则公共和 $=18$，此时直线上除最里面的 9，

剩下的两个数之和为 9，则分别为 $1+8$、$2+7$、$3+6$ 和

$4+5$．

然后尝试调整使得圆周的和也都等于 18 即可．

作业简答

1 见图

简答：7 只能是 9－2，而 9 最大，所以 a 填 2．剩下 3、4、5、6、8，c 和 d 只能是 3 和 4，剩下的根据题中条件依次填出．

2 见图

简答：将三条直线、两个圆上的数字都加起来，圆上的每个数字都算了 2 次，而中间的数字算了 3 次．即 1 至 13 这 7 个数的和的 2 倍加上中间的数字等于和的 5 倍．计算可得，这个和为 21，中间数字是 7．

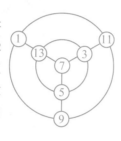

3 见图

简答：将三条直线上的数字相加，中间的数字加了 3 次，其他数字分别加了 1 次；1 至 10 的和为 55，55 加上中间数字的两倍等于直线和的 3 倍，直线和为 23，所以中间数为 7；如图给出了填法．

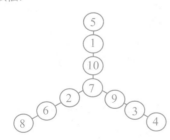

4 见图

简答：把每条直线上的数字都加起来，每个上下的六个数字都分别算了两次，中间的数字算了 3 次．所以 70 加上中间的数字就等于直线和的 5 倍，所以中间数字是 5，直线和是 15．

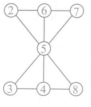

5 28

简答：10 个数是 2、3、4、…、11，$2+3+4\cdots+11=65$．这个相等的和是 2×2 正方形中 4 个数之和，$3\times$ 和 $=A+B+65$，则 $A+B$ 可以是 7、10、…要使得这个相等的和最大，则 A 和 B 可分别填 8、11 或 9、10．而这个相等的和是 28．经过尝试后其他格均可以填出，下图是其中一种填法．

第九讲 排列组合公式

例题详解

1 （1）12；（2）5040；（3）270

详解：（1）$A_4^2=4\times3=12$；（2）$A_{10}^4=10\times9\times8\times7=5040$；
（3）$A_6^4-3\times A_6^2=6\times5\times4\times3-3\times6\times5=6\times5\times3\times(4-1)=270$.

2 24

详解：从 4 个人中选 3 人出来排列，$A_4^3=4\times3\times2=24$.

3 （1）10；（2）30；（3）5，5；（4）120，120

详解：（1）$C_5^3=5\times4\times3\div(3\times2\times1)=10$；
（2）$C_{10}^3-2\times C_{10}^2=10\times9\times8\div(3\times2\times1)-2\times10\times9\div(2\times1)=30$；
（3）$C_5^4=5\times4\times3\times2\div(4\times3\times2\times1)=5$，$C_5^1=5$；
（4）$C_{10}^7=10\times9\times8\times7\times6\times5\times4\div(7\times6\times5\times4\times3\times2\times1)=120$，
$C_{10}^3=10\times9\times8\div(3\times2\times1)=120$.

4 120

详解：$C_{10}^7\times C_3^3=C_{10}^3\times C_3^3=10\times9\times8\div(3\times2\times1)\times1=120$ 种分法.

5 120；24；48

详解：$A_5^4=5\times4\times3\times2=120$；$A_4^3=4\times3\times2=24$；比 3000 小的有 1 开头和 2 开头的，1 千多的数和 2 千多的数一样多，共有 $2\times A_4^3=2\times4\times3\times2=48$ 个.

6 560

详解：$C_8^2\times C_6^3\times C_3^3=8\times7\div(2\times1)\times6\times5\times4\div(3\times2\times1)\times1=560$ 种.

练习简答

1 （1）210；（2）40

简答：（1）$A_7^3=7\times6\times5=210$；
（2）$A_5^3-A_5^2=5\times4\times3-5\times4=40$.

2 60

简答：$A_5^3=5\times4\times3=60$.

3 （1）56；（2）60；（3）45

简答：（1）$C_8^3=8\times7\times6\div(3\times2\times1)=56$；
（2）$2\times C_7^3-C_5^2=2\times7\times6\times5\div(3\times2\times1)-5\times4\div(2\times1)=60$；
（3）$C_{10}^8=C_{10}^2=10\times9\div(2\times1)=45$.

4 20

简答：$C_6^3 \times C_3^3 = 6 \times 5 \times 4 \div (3 \times 2 \times 1) \times 1 = 20$ 种.

作业简答

1 （1）20；（2）2478

简答：（1）$A_5^2 = 5 \times 4 = 20$；

（2）$A_7^5 - A_7^2 = 7 \times 6 \times 5 \times 4 \times 3 - 7 \times 6 = 2478$.

2 （1）21；（2）54；（3）0

简答：（1）$C_7^2 = (7 \times 6) \div (2 \times 1) = 21$；

（2）$3 \times C_8^2 - 2 \times C_6^2 = 3 \times (8 \times 7) \div (2 \times 1) - 2 \times (6 \times 5) \div (2 \times 1)$
$= 54$；

（3）$C_{10}^3 \times A_3^3 - A_{10}^3 = (10 \times 9 \times 8) \div (3 \times 2 \times 1) \times (3 \times 2 \times 1) - 10 \times 9$
$\times 8 = 0$.

3 120 种

简答：从 6 面不同颜色的旗帜中选 3 面排成一排，共有
$A_6^3 = 6 \times 5 \times 4 = 120$ 种方法.

4 56 种

简答：从 8 人中选出 3 人，不需要排序，共有 $C_8^3 = (8 \times 7 \times 6)$
$\div (3 \times 2 \times 1) = 56$ 种方法.

5 60 种；38 个

简答：从 5 个不同的数字中选 3 个组成三位数，即排成一排，
共有 $A_5^3 = 5 \times 4 \times 3 = 60$ 种；在所有比 635 小的数中，百位
是 3 的有 $A_4^2 = 4 \times 3 = 12$ 个，百位是 4 的有 12 个，百位是
5 的有 12 个，百位是 6 的有 1 个，所以从小到大数，635 是
第 38 个.

第十讲 排列组合应用
例题详解

1 （1）36 场，108 分；（2）72 场

详解：区分单循环制和双循环制.（1）单循环是 9 支球队
中选取 2 支队伍即可，2 支队伍不需要排序，是组合问题，
即 $C_9^2 = 9 \times 8 \div (2 \times 1) = 36$ 场比赛. 如果是分出胜负的则一
场比赛会得 3 分，如果不分胜负则一场比赛会得 2 分，所
以如果要让得分最多，那么 36 场都应该是分出胜负的，即
$36 \times 3 = 108$ 分.（2）双循环制是 9 支球队中选取 2 支队伍后
要排序分主客场，是排列问题，即 $A_9^2 = 9 \times 8 = 72$ 场比赛.
也可以根据第一问 $36 \times 2 = 72$ 场比赛得到，因为单循环制的
时候两支队伍比赛一场，而双循环是比赛两场，所以是 2 倍
的关系.

2 （1）336 种；（2）56 种

详解：（1）从 8 名同学中选 3 名同学在早上、中午、晚上
做值日，那么选出的这三人改变顺序为不同种选法，为排列
问题，$A_8^3 = 8 \times 7 \times 6 = 336$ 种选法.（2）从 8 名同学中选 3
人参加比赛，改变这三人的顺序仍为一种选法，为组合问题，
$C_8^3 = 8 \times 7 \times 6 \div (3 \times 2 \times 1) = 56$ 种选法.

3 （1）495 种；（2）24 种；（3）11880 种

详解：（1）只需要从 12 个不同的球中选出来 4 个，不需要
排列，是组合问题，即 $C_{12}^4 = 12 \times 11 \times 10 \times 9 \div (4 \times 3 \times 2 \times 1) = 495$
种选法；（2）把 4 个球分给大家，这四个球会分给不同的人，
所以需要排序，是排列问题，即 $A_4^4 = 4 \times 3 \times 2 \times 1 = 24$ 种分法；
（3）其实这一问就是按照上面的两个步骤完成后的方法数，
分步是用乘法原理，即 $C_{12}^4 \times A_4^4 = 495 \times 24 = 11880$ 种可能；
另外一种做法就是从 12 个球中选出来 4 个排列，即排列问
题，即 $A_{12}^4 = 12 \times 11 \times 10 \times 9 = 11880$ 种可能.

4 （1）15504 种；（2）5400 种

详解：（1）随意选择，即从所有人中随便选出来 5 个人即可，
$C_{20}^5 = 20 \times 19 \times 18 \times 17 \times 16 \div (5 \times 4 \times 3 \times 2 \times 1) = 15504$ 种选择方
法；

（2）首先从 10 名男生中选取 2 名男生，再从 10 名女
生中选取 3 名女生，这是一个分步的过程，所以一共有
$C_{10}^2 \times C_{10}^3 = 10 \times 9 \div (2 \times 1) \times 10 \times 9 \times 8 \div (3 \times 2 \times 1) = 5400$ 种选择
方法.

5 504 种

详解：圆桌问题的两种做法，第一种：7 个人中选出来 5 个
人按照一定顺序去排列，这是一个排列问题，即 A_7^5；圆桌
是可以旋转的，如果这 5 个人的顺序是 ABCDE、BCDEA、
CDEAB、DEABC、EABCD 这五种排序的方法其实都是一
种坐法，所以一共有 $A_7^5 \div 5 = 504$ 种不同的坐法；第二
种：先从 7 个人中选出 5 个人，有 $C_7^5 = 21$ 种方法，再把
选出的 5 个人排在圆桌上，有 $A_5^5 \div 5 = 24$ 种方法，一共有
$21 \times 24 = 504$ 种方法.

6 （1）20 种；（2）10 种

详解：（1）从 6 个人中选择 3 个人，即 $C_6^3 = 6 \times 5 \times 4 \div (3 \times 2$
$\times 1) = 20$ 种选法，此时已经将两个队伍排序，所以一共有 20
种分队的方法.（2）从 6 个人中选择 3 个人，此时两个队
伍是有区别的，可是此题两队没有区别，所以是 $C_6^3 \div 2 = 10$
种分队的方法.

练习简答

1 （1）28 场；（2）56 场

简答：（1）单循环是 8 名选手中选取 2 名选手即可，2 名选手不需要排序，是组合问题，即 $C_8^2 = 8 \times 7 \div (2 \times 1) = 28$ 场比赛．（2）双循环制是 8 名选手中选取 2 名选手后要排序，分主客选手，是排列问题，即 $A_8^2 = 8 \times 7 = 56$ 场比赛．也可以根据第一问 $28 \times 2 = 56$ 场比赛得到，因为单循环制的时候两名选手中比赛一场，而双循环是比赛两场，所以是 2 倍的关系．

2 （1）21 种；（2）42 种

简答：（1）$C_7^2 = 7 \times 6 \div (2 \times 1) = 21$ 种选法．

（2）$A_7^2 = 7 \times 6 = 42$ 种选法．

3 720 种

简答：两种方法，第一种：先从 10 个人选出 3 个人不排序，即 C_{10}^3，接下来给这三个人排序，即 A_3^3，这是一个分步的过程，所以共有 $C_{10}^3 \times A_3^3 = 720$ 种不同的可能；第二种：从 10 个人中选出 3 个人，需要排序，即排列问题，$A_{10}^3 = 720$ 种不同的可能．

4 1820 种；588 种

简答：（1）随意选择，即从所有人中随便选出 4 人即可，$C_{16}^4 = 16 \times 15 \times 14 \times 13 \div (4 \times 3 \times 2 \times 1) = 1820$ 种选择方法．（2）首先从 9 男生中选取 3 男生，再从 7 女生中选取 1 女生，这是一个分步的过程，所以一共有 $C_9^3 \times C_7^1 = 588$ 种选择方法．

作业简答

1 45 次

简答：从 10 人中任选 2 人就会有一次握手，共有 $C_{10}^2 = (10 \times 9) \div 2 = 45$ 次握手．

2 210 种

简答：从 15 人中选出 2 人，分别担任正、副班长，共有 $A_{15}^2 = 15 \times 14 = 210$ 种方法．

3 720 种

简答：$C_{10}^3 \times A_3^3 = A_{10}^3 = 10 \times 9 \times 8 = 720$ 种可能．

4 60 种

简答：从 5 件上衣中选 3 件，有 $C_5^3 = (5 \times 4 \times 3) \div (3 \times 2 \times 1) = 10$ 种方法；从 4 条裤子中选 2 条，有 $C_4^2 = (4 \times 3) \div (2 \times 1) = 6$ 种方法；所以共有 $10 \times 6 = 60$ 种选法．

5 120 种

简答：先有 1 人坐定，剩下的 5 个人随便排：$A_5^5 = 5 \times 4 \times 3 \times 2 \times 1 = 120$ 种坐法．

第十一讲 分段计算的行程问题

例题详解

1 34 分钟

详解：骑车往返需要 14 分钟，说明单程只需要 7 分钟，步行单程就是 $24 - 7 = 17$ 分钟，所以小高往返都步行所需要的时间是 $17 \times 2 = 34$ 分钟．

2 225 米

详解：先画出行程图，乙从出发到相遇行驶的时间是 5 分钟，行驶的路程是 500 米，所以速度是 $500 \div 5 = 100$ 米/分；乙虚线所行驶的路程是 400 米，所以乙虚线行驶的时间是 $400 \div 100 = 4$ 分钟，甲用 4 分钟的时间行驶的路程是 500 米，所以甲的速度是 125 米/分，甲实线所行驶的路程是 $5 \times 125 = 625$ 米，所以乙距离 A 地还有 $625 - 400 = 225$ 米．

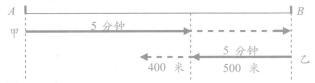

3 7 点 55 分

详解：方法一：表哥 20 分钟行驶了 4000 米，所以表哥的速度是 $4000 \div 20 = 200$ 米/分，墨莫的速度就是 $200 \div 5 = 40$ 米/分．表哥到达墨莫家的时候两人相距 $20 \times 40 = 800$ 米，两人的速度差是 160 米/分，所以追及时间是 $800 \div 160 = 5$ 分钟．此时是 7 点 55 分；

方法二：表哥的速度是墨莫速度的 5 倍，所以相同时间内，表哥行驶的路程是墨莫的 5 倍，设墨莫虚线行驶的路程是 "1"，表哥虚线行驶的路程就是 "5"，那么墨莫实线行驶的路程就是 "4"，墨莫 "4" 用了 20 分钟，所以 "1" 用 5 分钟，此时是 7 点 55 分．

4 每分钟行进 162 米

详解：在相同时间内，小小骑车行驶的路程是大大步行路程的 3 倍，所以小小骑车的速度是大大步行速度的 3 倍，所以小小骑车每分钟行进 $54 \times 3 = 162$ 米．

5 自行车队每分钟行 0.5 千米，摩托车每分钟行 1.5 千米

详解：自行车队第一次被通信员追上到第二次被追上，所行驶的路程是 $18 - 9 = 9$ 千米，其中通信员所行驶的路程是 $9 \times 3 = 27$ 千米．在相同时间内所行驶的路程是 3 倍，所以

通信员的速度是自行车队速度的 3 倍. 设自行车实线行驶 "1", 通信员就行驶 "3". 自行车 12 分钟行驶了 "2" 是 6 千米, 则自行车的速度是 0.5 千米/分. 摩托车每分钟行驶 0.5×3＝1.5 千米.

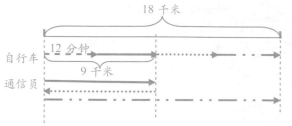

6 (1) 28 小时; (2) 8 倍

详解：(1) 甲虚线行驶的路程和乙实线行驶的路程一样, 甲用 4 小时, 乙用 12 小时, 所以甲的速度是乙速度的 3 倍. 甲行驶全程需要 16 小时, 所以乙需要 16×3＝48 小时. 乙已经行驶了 12＋4＋4＝20 小时, 所以还要行驶 48－20＝28 小时.

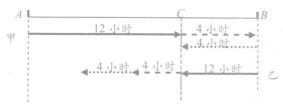

(2) 乙点状线所行驶的时间是 48－12－4＝32 小时, 所以甲虚线和点状线行驶路程一样, 所以原来的速度是返回速度的 8 倍.

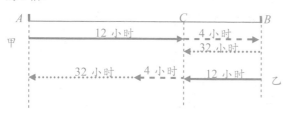

练习简答

1 20 分钟

简答：骑车全程需要 10 分钟, 说明半程只需要 5 分钟, 步行半程就是 15－5＝10 分钟, 所以小高全程都步行所需要的时间是 10×2＝20 分钟.

2 20 千米

简答：画出行程图, 快车 50 分钟行驶 60 千米, 所以速度是 60÷50＝1.2 千米/分; 快车虚线所行驶的路程是 24 千米, 所以慢车 30 分钟路程是 24 千米, 速度为 24÷30＝0.8 千米/分, 慢车 20 分钟的时间行驶的路程是 16 千米, 所以慢车的总路程是 24＋16＝40 千米, 所以距离甲地还有

60－40＝20 千米.

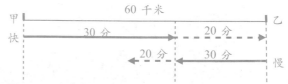

3 8 点 20 分

简答：阿瓜速度是阿呆的 3 倍, 阿呆提前 20 分钟出发, 所以阿瓜从出发到追上阿呆, 两人走这段路程所用时间也是 3 倍关系, 即阿瓜出发后 10 分钟追上阿呆. 又过 10 分钟, 阿瓜回到家, 此时, 阿呆一共走了 40 分钟, 那么接下来阿瓜需要 20 分钟才能再次追上阿呆. 所以是在 8:20 阿瓜第二次追上阿呆.

4 每分钟飞行 465 米

简答：在相同时间内, 小山羊飞行的路程是卡莉娅骑车路程的 3 倍, 所以小山羊飞行的速度是卡莉娅骑车速度的 3 倍, 所以小山羊每分钟飞行 155×3＝465 米.

作业简答

1 19 分钟

简答：卡莉娅步行单程 16 分钟, 飞行单程 3 分钟, 所以路上共用 16＋3＝19 分钟.

2 5:30

简答：爸爸提前出发了 10 分钟, 爸爸的速度是 150 米/分, 所以爸爸提前出发行驶的路程是 1500 米, 此时小山羊才开始出发, 两人相距 3500－1500＝2000 米, 其中速度和是 150＋50＝200 米/分, 所以相遇时间是 2000÷200＝10 分钟. 即 5 点 10 分两个人相遇. 爸爸还要带着小山羊原路返回继续行驶 20 分钟, 所以两个人 5 点 30 分到家.

3 600 千米

简答：甲车又行驶了 9 小时到达 B 地, 甲速度是 40 千米/时, 所以甲又行驶了 360 千米, 这段路程也是乙从出发到相遇所行驶的路程, 乙的速度是 60 千米/时, 所以从出发到相遇用时 360÷60＝6 小时. 所以两地相距 (40＋60)×6＝600 千米.

4 87 米/分

简答：墨莫走了一个全程, 而小高相当于行驶了两个全程, 所以小高的行驶路程是墨莫的 2 倍, 所以小高的速度是墨莫的 2 倍, 墨莫的速度是 174÷2＝87 米/分.

5 2250 米

简答：先画出分段行程图如下. 小强虚线所行驶的路程是 1500－500＝1000 米. 大壮虚线所行驶的路程是

$1500 + 500 = 2000$ 米．相同时间内大壮所行驶的路程是小强的2倍，所以大壮的速度是小强的2倍．大壮实线所行驶的路程是1500米，所以小强实线所行驶的路程是 $1500 \div 2 = 750$ 米，因此从学校到家的总路程是 $750 + 1500 = 2250$ 米．

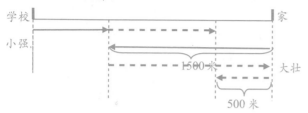

第十二讲 直线形面积计算综合提高
例题详解

1 3.2

详解：正方形边长为4，面积为16；三角形 ADE 面积是正方形的一半，为8．三角形面积等于 $AE \times DF \div 2$，所以 DF 长为 $8 \times 2 \div 5 = 3.2$．

2 32平方厘米

详解：$\triangle ADE + \triangle BEF + \triangle DEF$ 面积和是长方形的一半；$\triangle CDF + \triangle DEF$ 面积和是长方形的一半；比较可得，$\triangle CDF$ 面积恰好等于 $\triangle ADE$ 与 $\triangle BEF$ 面积和，为 $20 + 12 = 32$ 平方厘米．

3 （1）13厘米；（2）30厘米

详解：（1）$5^2 + 12^2 = AC^2$，$AC=13$；（2）$AB^2 + 40^2 = 50^2$，$AB=30$．

4 60平方厘米

详解：画如图虚线，原图中的直角三角形直角边分别是6、8，所以斜边是10，即梯形上底为10；梯形的高即为直角三角形的高，如图虚线，高为 $6 \times 8 \div 10 = 4.8$；梯形面积为 $(10+15) \times 4.8 \div 2 = 60$ 平方厘米．

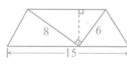

5 64

详解：如图，连接 DE．首先，三角形 ADE 与 DFG 的面积和为正方形 $AEFG$ 的一半，等于50；其中 DFG 面积为18，所以 ADE 面积为32；而三角形 ADE 面积为长方形 $ABCD$ 的一半，所以长方形面积为64．

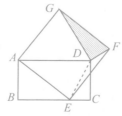

6 96

详解：如图，连接 BD．$\triangle ABD$ 中，BD 为10．$\triangle BCD$ 中，

三边分别为10、24、26，有 $10^2 + 24^2 = 26^2$，所以 $\triangle BCD$ 为直角三角形．三角形 BCD 面积为 $10 \times 24 \div 2 = 120$，三角形 ABD 面积为 $6 \times 8 \div 2 = 24$，所以 $ABCD$ 面积为 $120 - 24 = 96$．

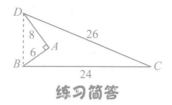

练习简答

1 4

简答：三角形 AED 面积为 $6 \times 10 \div 2 = 30$，则长方形面积为60，长为15，所以宽 AB 为 $60 \div 15 = 4$．

2 9平方厘米

简答：$\triangle AMF + \triangle BNF +$ 四边形 $MENF$ 面积和是长方形的一半；$\triangle DME + \triangle CNE +$ 四边形 $MENF$ 面积和是长方形的一半；比较可得，$\triangle AMF + \triangle BNF$ 面积恰好等于 $\triangle DME + \triangle CNE$ 面积，所以 $\triangle DME$ 面积为 $12 + 8 - 11 = 9$ 平方厘米．

3 25

简答：$12^2 + 16^2 = AB^2$，$AB=20$；$20^2 + 15^2 = AD^2$，$AD=25$．

4 2.4

简答：直角三角形直角边分别是3、4，所以斜边是5，高为 $3 \times 4 \div 5 = 2.4$．

作业简答

1 24平方厘米

简答：四个阴影三角形面积分别等于各自所在的长方形面积的一半，所以阴影部分总面积即为大长方形 $ABCD$ 的一半，为 $6 \times 8 \div 2 = 24$ 平方厘米．

2 60平方厘米

简答：长方形和平行四边形面积都等于直角三角形面积的两倍，所以它们面积相等．

3 13米

简答：甲往西走了5米，乙往南走了12米，两个人的方向垂直，所以此时两人的距离即为两条直角边长分别为5和12的直角三角形的斜边长度，等于13．

4 4

简答：$AC=12$，$BC=5$，所以斜边 $AB=13$；$AM=AC=12$，所以 $BM=1$；而 $BN=BC=5$，所以 $MN = BN - BM = 5 - 1 = 4$．

5 360

简答：直角三角形两条直角边分别是15、20，根据勾股定理可得斜边（即梯形上底）为 25，因此斜边上的高（即梯形的高）为 $20\times15\div25=12$．所以大梯形面积为 $(25+35)\times12\div2=360$．

第十三讲 多次往返相遇与追及
例题详解

1 （1）2 小时，4 小时；（2）14 小时，54 千米

详解：（1）第一次迎面相遇两人的路程和是 1 个全长，时间是 $60\div(21+9)=2$ 小时．从第一次相遇到第二次迎面相遇，两人的路程和是 2 个全长，时间应该是 $2\times2=4$ 小时．

（2）从出发到第四次迎面相遇，两人的路程和是 $1+2+2+2=7$ 个全长，时间是 $7\times2=14$ 小时．其中墨莫从 B 地出发走了 $14\times9=126$ 千米，$126\div60=2\cdots\cdots6$，所以相遇地点离 A 地 $60-6=54$ 千米．

2 （1）5 小时，20 小时；（2）45 小时，15 千米

详解：（1）第一次追上，两人的路程差是 1 个全长，时间是 $60\div(21-9)=5$ 小时，从第一次追上到第三次追上，两人的路程差是 $2+2=4$ 个全长，时间是 $4\times5=20$ 小时．

（2）从出发到第五次追上，两人的路程差是 $2\times5-1=9$ 个全长，时间是 $9\times5=45$ 小时．其中墨莫从 B 地出发走的路程是 $45\times9=405$ 千米，$405\div60=6\cdots\cdots45$，所以追及地点距离 A 点 $60-45=15$ 千米．

3 （1）4 小时，36 千米；（2）20 小时，60 千米

详解：（1）第一次迎面相遇，两人的路程和是 2 个全长，相遇时间是 $60\times2\div(21+9)=4$ 小时，其中墨莫从 A 出发走了 $4\times9=36$ 千米，相遇地点距 A 地 36 千米．（2）相邻两次相遇的路程和都是 2 个全长，从出发到第五次相遇两人相遇时间是 $4\times5=20$ 小时．墨莫从 A 出发走了 $20\times9=180$ 千米，$180\div60=3$，所以相遇地点距 A 地 60 千米．

4 （1）10 小时，30 千米；（2）50 小时，30 千米

详解：（1）第一次追上，两人的路程差是 2 个全长，时间是 $60\times2\div(21-9)=10$ 小时．此时墨莫从 A 出发走了 $9\times10=90$ 千米，$90\div60=1\cdots\cdots30$，追上地点距离 A 地 $60-30=30$ 千米．

（2）相邻两次追及的路程差是 2 个全长，追上 1 次需要 10 小时，追上 5 次需要 $5\times10=50$ 小时，此时墨莫走了 $50\times9=450$ 千米，$450\div60=7\cdots\cdots30$，追上地点距离 A 地 $60-30=30$ 千米．

5 （1）16 次；（2）3 次

详解：（1）从同一地点出发，相邻两次相遇的路程和为 2

个全长，需要 $150\times2\div(20+30)=6$ 分钟；$100\div6=16\cdots\cdots4$，所以一共有 16 次迎面相遇．

（2）从同一地点出发，相邻两次追及的路程差为 2 个全长，需要 $150\times2\div(30-20)=30$ 分钟，$100\div30=3\cdots\cdots10$，所以一共追上 3 次．

6 120 千米；10 千米

详解：如图所示，第一次迎面相遇，A、B 两车合走了 1 个全长，其中 A 走了 50 千米．从第一次相遇到第二次迎面相遇，两车合走了 2 个全长，按倍数关系，A 车应该走 100 千米，图中粗线表示的距离是 $100-30=70$ 千米．所以甲、乙两站相距 $50+70=120$ 千米．从第二次到第三次相遇，A 要走 100 千米，所以在距甲 10 千米处第三次相遇．（或者是从出发到第三次相遇，两车合走 5 个全长，A 车共走 $5\times50=250$ 千米，$250\div120=2\cdots\cdots10$，距甲地 10 千米第三次相遇．）

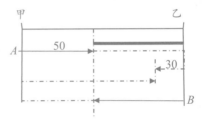

练习简答

1 （1）6 小时；（2）12 小时

简答：（1）从出发到第二次迎面相遇，路程和是 3 个全长，即 $3\times90=270$ 千米，所以时间为 $270\div(21+24)=6$ 小时；

（2）从第二次相遇到第五次迎面相遇，路程和是 6 个全长，即 $6\times90=540$ 千米，所以时间为 $540\div(21+24)=12$ 小时．

2 （1）4 小时；（2）16 小时

简答：（1）从出发到第一次追上，路程差是 1 个全长，即 80 千米，所以时间为 $80\div(32-12)=4$ 小时；

（2）从第一次追上到第三次追上，路程差是 4 个全长，即 320 千米，所以时间为 $320\div(32-12)=16$ 小时．

3 （1）8 小时；（2）20 小时

简答：（1）从出发到第二次迎面相遇，路程和是 4 个全长，即 $4\times90=360$ 千米，所以时间为 $360\div(21+24)=8$ 小时；

（2）从出发到第五次迎面相遇，路程和是 10 个全长，即 $10\times90=900$ 千米，所以时间为 $900\div(21+24)=20$ 小时．

4 （1）36 小时；（2）108 小时

简答：（1）从出发到第一次追上，路程差是 2 个全长，所以时间为 $2\times90\div(30-25)=36$ 小时；

（2）从出发到第三次追上，路程差是 6 个全长，所以时间

为 $6 \times 90 \div (30 - 25) = 108$ 小时.

作业简答

1 （1）6小时；（2）8小时

简答：（1）从出发到两人第二次相遇，两人的路程和是3个全长，所以一共用时 $70 \times 3 \div (15 + 20) = 6$ 小时；（2）从第二次相遇到第四次相遇之间，两人的路程和是4个全长，所以用时 8 小时.

2 3小时；3千米

简答：第三次追及时，两人的路程差为 $9 \times 5 = 45$ 千米；追及时间为 $45 \div (25 - 10) = 3$ 小时；甲一共骑了 $3 \times 25 = 75$ 千米；$75 \div 9 = 8 \cdots\cdots 3$，距离 A 地 3 千米.

3 （1）6小时；（2）2小时

简答：从出发到第三次追及，两人的路程差等于 6 个全长，用时 $6 \times 6 \div (30 - 24) = 6$ 小时. 从第三次追及到第四次追及期间，两人的路程差等于 2 个全长，用时 2 小时.

4 （1）20小时；（2）20千米

简答：从出发到第五次相遇，两人的路程和为 10 个全长，一共用时 $70 \times 10 \div (15 + 20) = 20$ 小时；此时甲一共骑行了 300 千米，$300 \div 70 = 4 \cdots\cdots 20$，距离 A 地 20 千米.

5 3次

简答：从同一地点出发，第一次迎面相遇两人的路程和是 2 个全长，时间是 $500 \times 2 \div (40 + 60) = 10$ 分钟. 相邻两次之间迎面相遇的时间都是 10 分钟，半小时内会有 3 次迎面相遇.

第十四讲 有特殊要求的挑选
例题详解

1 （1）52种；（2）196种

详解：（1）$5 \times 2 + 2 \times 6 + 5 \times 6 = 52$ （种）；

（2）分类讨论，先选出两种不同类型的饮料，有 1、2 和 2、1 两种情况，也需要分类讨论. 即 $5 \times C_2^2 + C_5^2 \times 2 + 2 \times C_6^2 + C_2^2 \times 6 + 5 \times C_2^2 + C_5^2 \times 6 = 5 + 20 + 30 + 6 + 75 + 60 = 196$ 种.

2 96种

详解：方法一：可分类讨论，符合题意的有 2 台等离子 +1 台液晶：$C_4^2 \times C_6^1 = 36$ 种选法；1 台等离子 +2 台液晶：$C_4^1 \times C_6^2 = 60$ 种选法. 最后把不同类的结果相加：$36 + 60 = 96$ 种取法.

方法二：可以想一下这些电视中随便抽 3 台，有 $C_{10}^3 = 120$ 种取法；其中与"等离子电视与液晶电视至少要各有 1 台"不

符合要求的取法是怎样的呢？全是等离子电视或全是液晶电视，这两种情况都是不符合的，我们只要从 120 种取法中排除掉这两种类型的取法. 共有 $C_{10}^3 - C_4^3 - C_6^3 = 120 - 4 - 20 = 96$ 种取法.

3 195 种

详解：方法一：可计算等离子有 1 台、2 台、3 台、4 台这 4 种类型分别有多少种取法.

方法二：可在一共 10 台电视中任选 4 台，把一些不符合要求的类型排除掉. 不符合的类型是 4 台全是液晶电视. 所以共有 $C_{10}^4 - C_6^4 = 210 - 15 = 195$ 种取法.

4 55 个

详解：从 8 个点中任选 3 个点就可以构成一个三角形，但观察图形，同在直径上的 3 个点构不成三角形，所以要排除掉这 3 个点构成的一个"三角形". 共有 $C_8^3 - C_3^3 = 56 - 1 = 55$ 个三角形.

5 （1）120种；（2）24种；（3）48种；（4）12种；（5）36种

详解：（1）$A_5^5 = 5 \times 4 \times 3 \times 2 \times 1 = 120$ 种站法；（2）小高只有一种站法，其他四个人排列即可，$A_4^4 = 4 \times 3 \times 2 \times 1 = 24$ 种站法；（3）先从小高和大头中选择一个人站在中间的位置，然后剩下四个人排列，即 $C_2^1 \times A_4^4 = 2 \times 4 \times 3 \times 2 \times 1 = 48$ 种站法；（4）小高和大头在两边的位置上排列，剩下的 3 个人在另外三个位置上排列，即 $A_2^2 \times A_3^3 = 2 \times 1 \times 3 \times 2 \times 1 = 12$ 种站法；（5）先让小高和大头在中间三个位置上选择两个，剩下三个人排列，即 $A_3^2 \times A_3^3 = 3 \times 2 \times 3 \times 2 \times 1 = 36$ 种站法.

6 （1）261个；（2）98个；（3）163个

详解：（1）一位数有 $C_5^1 = 5$ 个；两位数有 $C_4^1 \times C_4^1 = 16$ 个；三位数有 $C_4^1 \times A_4^2 = 48$ 个；四位数有 $C_4^1 \times A_4^3 = 96$ 个；五位数有 $C_4^1 \times A_4^4 = 96$ 个；一共有 $5 + 16 + 48 + 96 + 96 = 261$ 个；（2）一位奇数有 $C_2^1 = 2$ 个；两位奇数有 $C_2^1 \times C_3^1 = 6$ 个；三位奇数有 $C_2^1 \times C_3^1 \times C_3^1 = 18$ 个；四位奇数有 $C_2^1 \times C_3^1 \times A_3^2 = 36$ 个；五位奇数有 $C_2^1 \times C_3^1 \times A_3^3 = 36$ 个；一共有 $2 + 6 + 18 + 36 + 36 = 98$ 个；（3）一位偶数有 $C_3^1 = 3$ 个；两位偶数按照末位是 0 和不是 0 分为两类，即 $C_4^1 + C_2^1 \times C_3^1 = 10$ 个；三位偶数按照末位是 0 和不是 0 分为两类，即 $A_4^2 + C_2^1 \times C_3^1 \times C_3^1 = 30$ 个；四位偶数按照末位是 0 和不是 0 分为两类，即 $A_4^3 + C_2^1 \times C_3^1 \times A_3^2 = 60$ 个；五位偶数按照末位是 0 和不是 0 分为两类，即 $A_4^4 + C_2^1 \times C_3^1 \times A_3^3 = 60$ 个；一共有 $3 + 10 + 30 + 60 + 60 = 163$ 个.

练习简答

1 27 种

简答：分类讨论，可以是红、黄球各 1 个，可以是红、绿球各 1 个，也可以是黄、绿球各 1 个，即 $3 \times 3 + 3 \times 3 + 3 \times 3 = 27$ 种.

2 200 种

简答：可分类讨论，符合题意的有 2 男 3 女：$C_5^2 \times C_5^3 = 100$ 种选法；3 男 2 女：$C_5^3 \times C_5^2 = 100$ 种选法. 最后把不同类的结果相加：$100 + 100 = 200$ 种取法.

3 251 种

简答：可在一共 10 名学生中任选 5 名，再把不符合要求的情况排除掉. 不符合要求的情况即全是女生. 所以共有 $C_{10}^5 - C_5^5 = 252 - 1 = 251$ 种取法.

4 48 个

简答：$C_8^3 - C_4^3 - C_4^3 = 48$ 个三角形.

作业简答

1 108 种

简答：从 3 类书中挑出 2 本类型不同的书，那么选择的类型有 $C_3^2 = 3$ 种情况；如在科幻和科普两种类型中借书，有 $C_6^1 \times C_6^1 = 36$ 种. 3 种情况都是类似的，共有 $3 \times 36 = 108$ 种不同的借法.

2 75 种

简答：如果取出的是 2 个红球和 3 个黄球，那么有 $C_6^2 \times C_3^3 = 15$ 种选法；如果取出的是 3 个红球和 2 个黄球，那么有 $C_6^3 \times C_3^2 = 60$ 种选法，所以共有 75 种选法.

3 246 种

简答：如果随意取，那么共有 $C_{10}^5 = 252$ 种取法；如果全取红球，那么共有 $C_6^5 = 6$ 种取法；所以至少有 1 个黄球的取法共有 $252 - 6 = 246$ 种.

4 2400 种

简答：首先从中间 5 个位置中选 2 个位置安排孙、李，剩下 5 个位置随意安排 5 个人. 一共有 $A_5^2 \times A_5^5 = 2400$ 种.

5 600 个

简答：首位不能为 0，在剩下 5 个位置选一个放 0，剩下 5 个数随便排，共有 $A_5^1 \times A_5^5 = 600$ 个.

第十五讲 捆绑法与插空法

例题详解

1 4320 种

详解：要求三位老师必须站在一起，那么可以把三位老师捆绑成一个人，这时候一共是 5 个人加这个"大胖人"共 6 个，6 个人站成一排共有 A_6^6 种站法，又因为 3 位老师站成一排绑在一起时有 A_3^3 种站法. 一共有 $A_6^6 \times A_3^3 = 4320$ 种站法.

2 72 种

详解：把小说捆绑成 1 本书，漫画捆成 1 本书，现在一共是 3 本书摆在一起有 A_3^3 种摆法，然后要再去看看那些绑在一起的书内部又有多少种摆法，其中小说有 A_2^2 种摆法，漫画有 A_3^3 种摆法. 一共有 $A_3^3 \times A_2^2 \times A_3^3 = 72$ 种摆法.

3 144 种；1440 种

详解：（1）当男生不能相互挨着时，这时我们可以安排 3 名女生先站好，有 A_3^3 种站法. 接下来可把男生安排到这 3 个女生的空隙中，4 个空隙正好可以放 4 男生，有 A_4^4 种站法. 一共有 $A_3^3 \times A_4^4 = 144$ 种站法. （2）要求女生不相互挨着，那么要先安排男生站好，有 A_4^4 种站法. 然后安排 3 名女生站在男生的 5 个间隙中去，有 A_5^3 种站法. 最后有 $A_4^4 \times A_5^3 = 1440$ 种站法.

4 （1）6 个；（2）90 个；（3）3 个

详解：数字去选位置时，要每个数字都去选吗？每个数字都去选位置时，就会出现重复，所以要相同的数字一起选出几个位置出来就可以了.

（1）从 4 个位置选 2 个位置放两个 1（或 2），有 C_4^2 种选法，剩下 2 个位置放两个 2（或 1），只有 1 种方法，所以有 $C_4^2 \times 1 = 6$ 个四位数. （2）首先从 6 个位置中选 2 个位置放 1，有 C_6^2 种选法；再从剩下 4 个位置选 2 个位置放 2，有 C_4^2 种选法；最后剩下的 2 个位置放 3，有 1 种选法. 最后有 $C_6^2 \times C_4^2 \times 1 = 90$ 个六位数. （3）因为 0 的特殊性，可让 0 先去选位置，从除首位的 3 个位置中选 2 个位置出来放 0，有 C_3^2 种选法，剩下的 2 个位置放两个 2，有 1 种方法，所以有 $C_3^2 \times 1 = 3$ 个四位数.

5 2880 种

详解：演唱节目彼此不能挨着，需要插空，而舞蹈节目必须连续，需要捆绑. 先捆绑，再让其与 3 个小品排列，最后让 3 个演唱节目插空，所以一共有 $A_2^2 \times A_4^4 \times A_5^3 = 2880$ 种不同的编排顺序.

6 4900 种

详解：先选择 1 名老师做裁判，再从 8 名学生中选择 4 名学生，

有 C_8^4 种，最后从 6 名老师中选择 3 名老师，有 C_6^3 种，注意两队是没有区别的，即不需要考虑两队的顺序，再除以重复次数，所以一共有 $C_7^1 \times C_8^4 \times C_6^3 \div 2 = 4900$ 种不同的分法.

练习简答

1 36 种

简答：$A_3^3 \times A_3^3 = 36$ 种.

2 96 种

简答：$A_2^2 \times A_2^2 \times A_4^4 = 96$ 种.

3 14400 种

简答：$A_5^5 \times A_6^3 = 14400$ 种.

4 60 个

简答：首先从 6 个位置中选 1 个位置放 1，有 C_6^1 种选法；再从剩下 5 个位置选 2 个位置放 2，有 C_5^2 种选法；最后剩下的 3 个位置放 3，有 1 种选法. 最后有 $C_6^1 \times C_5^2 \times 1 = 60$ 个六位数.

作业简答

1 240 种

简答：先把小张和小李捆绑成一个人与另 4 名同学进行排列，有 A_5^5 种排法. 最后要安排一下小张和小李的顺序，一共有 $A_5^5 \times A_2^2 = 240$ 种排法.

2 96 种

简答：分别把小张和小李、小王和小许捆绑成两个人与另两名同学进行排列，有 A_4^4 种排法. 最后要安排一下捆绑的人的排序，一共有 $A_4^4 \times A_2^2 \times A_2^2 = 96$ 种排法.

3 480 种

简答：男生与男生不相邻，那么要先安排女生，有 A_4^4 种排法，然后再把男生安排在女生的 5 个空隙里去，有 A_5^2 种排法. 一共有 $A_4^4 \times A_5^2 = 480$ 种排法.

4 210 个

简答：从 7 个位置中选 2 个位置放 3，再从剩下的 5 个位置中选 2 个位置放 4，最后 3 个位置放 5. 七位数有 $C_7^2 \times C_5^2 \times C_3^3 = 210$ 个.

5 6 个

简答：首位不能是 0，从除首位之外的另 4 个位置中选 2 个位置放 0，剩下的 3 个位置放 1 就可以了，五位数有 $C_4^2 \times C_3^3 = 6$ 个.

第十六讲 奇偶性分析

例题详解

1 （1）偶数；（2）不能

详解：（1）和的奇偶性只取决于加数中奇数的个数. 1~2012 中共有 1006 个奇数，所以和是偶数.

（2）不可能. 1~2013 中共有 1007 个奇数，所以 $1+2+3+\cdots+2013$ 为奇数；根据"和差奇偶性相同"可得，在 $1+2+3+\cdots+2013$ 中任意把一些加号变为减号，结果也一定是奇数，不可能是 0.

2 （1）偶数；（2）偶数

详解：（1）每个乘积都是偶数，所以和是偶数；（2）每个乘积都是奇数，和的奇偶性取决于加数中奇数的个数. 1，3，5，…，99，共有 50 个奇数，所以结果是偶数.

3 不能

详解：总和为 $1+2+3+\cdots+14=105$；而如果每组都有一个孩子编号等于其他人编号之和的话，那每组所有人编号之和就是偶数，进而可知所有人编号总和也是偶数，与 105 矛盾.

4 （1）可以；（2）不能

详解：把硬币编号①②③④……

（1）可以：第一次①、第二次②③、第三次①④⑤、第四次②③④⑤、第五次①②③④⑤；

（2）不能：每一枚硬币要反过来，需要翻动奇数次，一共 6 枚，共需翻动 6 个奇数次，则翻动总次数是偶数；而 $1+2+3+4+5+6=21$ 和为奇数，所以不能.

5 （1）偶数；（2）偶数

详解：乘积的奇偶性取决于乘数中是否有偶数.

（1）2013 个数的和是偶数，那么这 2013 个数中一定有偶数（如果全是奇数，那么 2013 个奇数的和一定是奇数），所以它们的乘积一定是偶数.

（2）2012 个数的和是奇数，那么这 2012 个数中一定有偶数（如果全是奇数，那么 2012 个奇数的和一定是偶数），所以它们的乘积一定是偶数.

6 不能

详解：反证法：假设恰好是 5~18，则：把 14 个和相加，那么每一个圆圈中的数一定会出现偶数次（要么加了 2 次、要么加了 4 次），所以最后的结果应该是一个偶数. 但是，5~18 的和是奇数，所以矛盾，不可能.

练习简答

1 奇数

简答：同例1（2）分析，$1+2+3+\cdots+2013$ 和为奇数，把其中任意加号变为减号，结果也一定是奇数．

2 偶数

简答：每个乘积都是奇数，和的奇偶性取决于加数中奇数的个数．1，3，5，…，2011，共有1006个奇数，所以结果是偶数．

3 不能

简答：总和是 $1+2+3+\cdots+11=66$；而如果一堆和是奇数，另一堆和是偶数的话，总和就是"奇＋偶"，得奇数，与66矛盾．

4 不能

简答：一共翻动了 $5+4+3+2+1=15$ 次，奇数次；而要使得一枚硬币翻过来，需要翻动奇数次，所以一共要翻动6个奇数次，总次数应该是偶数，与15矛盾．

作业简答

1 奇数

简答：756×345 乘积是偶数，4343是奇数，388是偶数，只有1个奇数，所以结果是奇数．

2 奇数

简答：1~21中，奇数一共有11个，所以结果是奇数．

3（1）可以，答案不唯一；（2）不能

简答：1~10的和为55，和为奇数．根据"和、差奇偶性相同"，那么如果把一部分加号改为减号，那么结果应该仍是奇数，所以：（1）结果为25是可能的，可以是 $1+2+3+4-5+6+7+8+9-10$；（2）结果为36是不可能的．

4 不存在

简答：两个数的和与差奇偶性相同，所以两个自然数的"和-差"结果一定是偶数，不可能是5．

5 不能

简答：七只杯子，有三只口朝上、四只口朝下，口朝上的杯子要变成口朝下，需要翻动奇数次，而口朝上的杯子有奇数只，所以最后要将七只杯子全变成口朝下，那么一共需要翻动奇数次．但是每个人任意翻动四次，那么若干人翻动的总次数一定是偶数，所以不可能．

第十七讲 牛吃草问题

例题详解

1（1）5；（2）180；（3）36；（4）15；（5）17

详解：（1）要使得草永远吃不完，放养的牛数又要最多，就一定是长多少吃多少，所以最多放养5头牛；（2）方法一：6头牛每天吃6份，而草每天长5份，实际相当于每天消耗1份草，一共能吃 $180\div1=180$ 天；方法二：6头牛派5头牛去吃每天新生长的草，而1头牛吃原草，仍然是180天；（3）方法同第二问，$180\div(10-5)=36$ 天；（4）方法一：18天，原草与新草一共是 $180+5\times18=270$ 份，吃了18天，所以每天要吃 $270\div18=15$ 份，所以需要15头牛；方法二：原草180份，吃18天，需要10头牛，但是还要有5头牛吃每天新长的草，一共要15头牛；（5）方法同第四问，$180\div15+5=17$ 头．

2（1）14；（2）5

详解：（1）设每头牛每天吃1份草，18头牛10天吃180份，24头牛7天吃168份．相差了 $180-168=12$ 份，是因为多长了 $10-7=3$ 天的草，所以草每天的生长量是 $12\div3=4$ 份．10天共有180份，10天长了40份新草，所以原草量是 $180-40=140$ 份．140份草要14天吃完，需要10头牛，其中还需要4头牛吃每天的新草，一共需要 $10+4=14$ 头牛；（2）32头牛中有4头牛吃新草，剩下28头牛吃原有的140份草，所以需要吃 $140\div28=5$ 天．

3（1）90；（2）40

详解：（1）设每只羊每天吃1份草，38只羊25天吃950份，30只羊30天吃900份．相差了 $950-900=50$ 份，是因为多枯萎了 $30-25=5$ 天的草，所以草每天的枯萎量是 $50\div5=10$ 份．30天共有900份，30天枯萎了 $30\times10=300$ 份草，所以原草量是 $900+300=1200$ 份．1200份草要12天吃完，即每天减少100份，其中每天枯萎10份草，所以每天羊吃90份草，所以放养90只羊；（2）每天枯萎10份，放养20只羊，则每天一共减少30份，把1200份草吃光，需要 $1200\div30=40$ 天．

4 10

详解：设每只羊每天吃1份草．14头牛可换为56只羊，所以56只羊30天吃 $56\times30=1680$ 份；70只羊16天吃 $70\times16=1120$ 份．每天的生长量是 $(1680-1120)\div(30-16)=40$ 份，原草量是 $1680-30\times40=480$ 份．17头牛和20只羊相当于88只羊，其中有40只羊吃新草，剩下48只羊吃480原草，需要10天．

5 6

详解：设每头牛每天吃 1 份草，15 头牛 8 天吃 120 份；15 头牛 7 天和 2 头牛 5 天共吃 $15 \times 7 + 2 \times 5 = 115$ 份．每天草的生长量是 $(120 - 115) \div (8 - 7) = 5$ 份．原草量是 $120 - 5 \times 8 = 80$ 份．如果 15 头牛吃了 2 天，有 5 头牛吃新生长的草，相当于还有 10 头牛在吃原草，原草还剩下 $80 - 10 \times 2 = 60$ 份．20 头牛中 5 头牛吃每天新长的草，剩下的 15 头牛吃原有草，需要 $60 \div 15 = 4$ 天．一共用了 $2 + 4 = 6$ 天．

6 6 根

详解：设每根水管每小时排 1 份水，8 根 3 小时排 24 份，5 根 6 小时排 30 份水，雨水每小时注入 $(30 - 24) \div (6 - 3) = 2$ 份水，池内原有 $24 - 2 \times 3 = 18$ 份水．2 根排水管用来排新注入的雨水，原水需要 $18 \div 4.5 = 4$ 根排水管，一共需要同时打开 6 根水管．

练习简答

1 （1）2；（2）20；（3）12；（4）8；（5）6

简答：（1）要使得草永远吃不完，放养的牛数又要最多，就一定是长多少吃多少，所以最多放养 2 头牛；（2）方法一：5 头牛每天吃 5 份，而草每天长 2 份，实际相当于每天消耗 3 份草，一共能吃 $60 \div 3 = 20$ 天；方法二：5 头牛派 2 头牛去吃每天新生长的草，而 3 头牛吃原草，仍然是 20 天；（3）方法同第二问，$60 \div (7 - 2) = 12$ 天；（4）方法一：10 天，原草与新草一共是 $60 + 2 \times 10 = 80$ 份，吃了 10 天，所以每天要吃 $80 \div 10 = 8$ 份，所以需要 8 头牛；方法二：原草 60 份，吃 10 天，需要 6 头牛，但是还要有 2 头牛吃每天新长的草，一共要 8 头牛；（5）方法同第四问，$60 \div 15 + 2 = 6$ 头．

2 （1）18；（2）12

简答：（1）设每头牛每天吃 1 份草，24 头牛 6 天吃 144 份，21 头牛 8 天吃 168 份．相差了 $168 - 144 = 24$ 份，是因为多长了 $8 - 6 = 2$ 天的草，所以草每天的生长量是 $24 \div 2 = 12$ 份．6 天后是 144 份，6 天长了 72 份新草，所以原草量是 $144 - 72 = 72$ 份．72 份草要 12 天吃完，需要 6 头牛，其中还需要 12 头牛吃每天的新草，一共需要 $6 + 12 = 18$ 头牛；（2）要使得草永远吃不完，放养的牛数又要最多，就一定是长多少吃多少，所以需要放养 12 头牛．

3 （1）67；（2）35

简答：（1）设每头牛每天吃 1 份草，32 头牛 24 天吃 768 份，27 头牛 28 天吃 756 份．相差了 $768 - 756 = 12$ 份，是因为多枯萎了 $28 - 24 = 4$ 天的草，所以草每天的枯萎量是 $12 \div 4 = 3$

份．24 天后是 768 份，24 天枯萎了 $24 \times 3 = 72$ 份草，所以原草量是 $768 + 72 = 840$ 份．840 份草要 12 天吃完，即每天减少 70 份，其中每天枯萎 3 份草，所以每天牛吃 67 份草，所以放养 67 头牛；（2）每天枯萎 3 份草，放养 21 头牛，则每天一共减少 24 份，把 840 份草吃光，需要 $840 \div 24 = 35$ 天．

4 30

简答：设每只羊每天吃 1 份草．20 头牛可换为 60 只羊，所以 84 只羊 18 天吃 $84 \times 18 = 1512$ 份；15 头牛可换为 45 只羊，所以 99 只羊 15 天吃 $99 \times 15 = 1485$ 份．每天的生长量是 $(1512 - 1485) \div (18 - 15) = 9$ 份，原草量是 $1512 - 9 \times 18 = 1350$ 份．12 头牛和 18 只羊相当于 54 只羊，其中有 9 只羊吃新草，剩下 45 只羊吃 1350 份原草，需要 30 天．

作业简答

1 12 头

简答：设每头牛每天吃草量为 1，$24 \times 6 = 144$，$21 \times 8 = 168$，所以草每天生长量为 $(168 - 144) \div (8 - 6) = 12$．要想草永远吃不完，牛每天吃掉的草不能超过草每天长的量，最多可放养 12 头牛，原草量不变．

2 4 天

简答：$8 \times 8 = 64$，$10 \times 6 = 60$，草每天生长量为 $(64 - 60) \div (8 - 6) = 2$，原草量是 $60 - 6 \times 2 = 48$．放养 14 头牛，草每天减少 $14 - 2 = 12$，经过 $48 \div 12 = 4$ 天草就吃完了．

3 1 只；80 只；10 天

简答：设每只羊每天吃草量为 1，把牛转换为羊，$3 \times 40 = 120$，$5 \times 20 = 100$，草每天长 $(120 - 100) \div (40 - 20) = 1$，可供 1 只羊吃一天．原有草量是 $120 - 40 \times 1 = 80$，可供 80 只羊吃一天．1 头牛和 6 只羊相当于是 9 只羊，可以吃 $80 \div (9 - 1) = 10$ 天．

4 30 天

简答：$20 \times 5 = 100$，$16 \times 6 = 96$，比较发现草每天枯萎 $(100 - 96) \div (6 - 5) = 4$．所以 5 天草共枯萎 $4 \times 5 = 20$，原草量是 $100 + 20 = 120$，没有牛的话，一共需要 $120 \div 4 = 30$ 天草全部枯萎．

5 50 天

简答：$8 \times 30 = 240$，$10 \times 25 = 250$，比较 30 天吃的总草量 240 和 25 天吃的总草量 250，能判断出草在枯萎．草每天枯萎 $(250 - 240) \div (30 - 25) = 2$，原草量是 $240 + 30 \times 2 = 300$．有 4 头牛时，每天草的减少量是 $4 + 2 = 6$，所以经过 $300 \div 6 = 50$ 天草吃完了．

第十八讲 整数裂项

例题详解

1 2660

详解：

$1 \times 2 = (1 \times 2 \times 3 - 0 \times 1 \times 2) \div 3$；

$2 \times 3 = (2 \times 3 \times 4 - 1 \times 2 \times 3) \div 3$；

$3 \times 4 = (3 \times 4 \times 5 - 2 \times 3 \times 4) \div 3$；

……

$19 \times 20 = (19 \times 20 \times 21 - 18 \times 19 \times 20) \div 3$；

原式 $= (19 \times 20 \times 21 - 0 \times 1 \times 2) \div 3 = 2660$．

2 332860

详解：

$11 \times 12 = (11 \times 12 \times 13 - 10 \times 11 \times 12) \div 3$；

$12 \times 13 = (12 \times 13 \times 14 - 11 \times 12 \times 13) \div 3$；

$13 \times 14 = (13 \times 14 \times 15 - 12 \times 13 \times 14) \div 3$；

……

$99 \times 100 = (99 \times 100 \times 101 - 98 \times 99 \times 100) \div 3$；

原式 $= (99 \times 100 \times 101 - 10 \times 11 \times 12) \div 3 = 332860$．

3 （1）4480；（2）4046

详解：（1）$2 \times 4 = (2 \times 4 \times 6 - 0 \times 2 \times 4) \div 6$；

$4 \times 6 = (4 \times 6 \times 8 - 2 \times 4 \times 6) \div 6$；

$6 \times 8 = (6 \times 8 \times 10 - 4 \times 6 \times 8) \div 6$；

……

$28 \times 30 = (28 \times 30 \times 32 - 26 \times 28 \times 30) \div 6$；

原式 $= (28 \times 30 \times 32 - 0 \times 2 \times 4) \div 6 = 4480$．

（2）$1 \times 3 = 1 \times 3$；

$3 \times 5 = (3 \times 5 \times 7 - 1 \times 3 \times 5) \div 6$；

$5 \times 7 = (5 \times 7 \times 9 - 3 \times 5 \times 7) \div 6$；

$7 \times 9 = (7 \times 9 \times 11 - 5 \times 7 \times 9) \div 6$；

……

$27 \times 29 = (27 \times 29 \times 31 - 25 \times 27 \times 29) \div 6$；

原式 $= (27 \times 29 \times 31 - 1 \times 3 \times 5) \div 6 + 1 \times 3 = 4046$．

4 （1）8788；（2）16490

详解：（1）$4 \times 7 = (4 \times 7 \times 10 - 1 \times 4 \times 7) \div 9$；

$7 \times 10 = (7 \times 10 \times 13 - 4 \times 7 \times 10) \div 9$；

$10 \times 13 = (10 \times 13 \times 16 - 7 \times 10 \times 13) \div 9$；

……

$40 \times 43 = (40 \times 43 \times 46 - 37 \times 40 \times 43) \div 9$；

原式 $= (40 \times 43 \times 46 - 1 \times 4 \times 7) \div 9 = 8788$；

（2）$2 \times 5 = 2 \times 5$；

$5 \times 8 = (5 \times 8 \times 11 - 2 \times 5 \times 8) \div 9$；

$8 \times 11 = (8 \times 11 \times 14 - 5 \times 8 \times 11) \div 9$；

$11 \times 14 = (11 \times 14 \times 17 - 8 \times 11 \times 14) \div 9$；

……

$50 \times 53 = (50 \times 53 \times 56 - 47 \times 50 \times 53) \div 9$；

原式 $= (50 \times 53 \times 56 - 2 \times 5 \times 8) \div 9 + 2 \times 5 = 16490$．

5 （1）35910；（2）87360

详解：（1）$1 \times 2 \times 3 = (1 \times 2 \times 3 \times 4 - 0 \times 1 \times 2 \times 3) \div 4$；

$2 \times 3 \times 4 = (2 \times 3 \times 4 \times 5 - 1 \times 2 \times 3 \times 4) \div 4$；

$3 \times 4 \times 5 = (3 \times 4 \times 5 \times 6 - 2 \times 3 \times 4 \times 5) \div 4$；

……

$18 \times 19 \times 20 = (18 \times 19 \times 20 \times 21 - 17 \times 18 \times 19 \times 20) \div 4$；

原式 $= (18 \times 19 \times 20 \times 21 - 0 \times 1 \times 2 \times 3) \div 4 = 35910$．

（2）$2 \times 4 \times 6 = (2 \times 4 \times 6 \times 8 - 0 \times 2 \times 4 \times 6) \div 8$；

$4 \times 6 \times 8 = (4 \times 6 \times 8 \times 10 - 2 \times 4 \times 6 \times 8) \div 8$；

$6 \times 8 \times 10 = (6 \times 8 \times 10 \times 12 - 4 \times 6 \times 8 \times 10) \div 8$；

……

$26 \times 28 \times 30 = (26 \times 28 \times 30 \times 32 - 24 \times 26 \times 28 \times 30) \div 8$；

原式 $= (26 \times 28 \times 30 \times 32 - 0 \times 2 \times 4 \times 6) \div 8 = 87360$．

6 6764

详解：

$a_1 = a_3 - a_2$；

$a_2 = a_4 - a_3$；

$a_3 = a_5 - a_4$；

……

$a_{17} = a_{19} - a_{18}$；

$a_{18} = a_{20} - a_{19}$；

原式 $= a_{20} - a_2 = 6765 - 1 = 6764$．

练习简答

1 41650

简答：

$1 \times 2 = (1 \times 2 \times 3 - 0 \times 1 \times 2) \div 3$；

$2 \times 3 = (2 \times 3 \times 4 - 1 \times 2 \times 3) \div 3$；

$3 \times 4 = (3 \times 4 \times 5 - 2 \times 3 \times 4) \div 3$；

……

$49 \times 50 = (49 \times 50 \times 51 - 48 \times 49 \times 50) \div 3$；

原式 $= (49 \times 50 \times 51 - 0 \times 1 \times 2) \div 3 = 41650$．

2 41538

简答：

$7 \times 8 = (7 \times 8 \times 9 - 6 \times 7 \times 8) \div 3$；

$8 \times 9 = (8 \times 9 \times 10 - 7 \times 8 \times 9) \div 3$；

$9 \times 10 = (9 \times 10 \times 11 - 8 \times 9 \times 10) \div 3$；

……

$49 \times 50 = (49 \times 50 \times 51 - 48 \times 49 \times 50) \div 3$；

原式 $= (49 \times 50 \times 51 - 6 \times 7 \times 8) \div 3 = 41538$．

3 （1）2288；（2）215

简答：

（1） $2 \times 4 = (2 \times 4 \times 6 - 0 \times 2 \times 4) \div 6$；

$4 \times 6 = (4 \times 6 \times 8 - 2 \times 4 \times 6) \div 6$；

$6 \times 8 = (6 \times 8 \times 10 - 4 \times 6 \times 8) \div 6$；

……

$22 \times 24 = (22 \times 24 \times 26 - 20 \times 22 \times 24) \div 6$；

原式 $= (22 \times 24 \times 26 - 0 \times 2 \times 4) \div 6 = 2288$．

（2） $1 \times 3 = 1 \times 3$；

$3 \times 5 = (3 \times 5 \times 7 - 1 \times 3 \times 5) \div 6$；

$5 \times 7 = (5 \times 7 \times 9 - 3 \times 5 \times 7) \div 6$；

$7 \times 9 = (7 \times 9 \times 11 - 5 \times 7 \times 9) \div 6$；

$9 \times 11 = (9 \times 11 \times 13 - 7 \times 9 \times 11) \div 6$；

原式 $= (9 \times 11 \times 13 - 1 \times 3 \times 5) \div 6 + 1 \times 3 = 215$．

4 （1）11000；（2）10410

简答：

（1） $5 \times 10 = (5 \times 10 \times 15 - 0 \times 5 \times 10) \div 15$；

$10 \times 15 = (10 \times 15 \times 20 - 5 \times 10 \times 15) \div 15$；

……

$50 \times 55 = (50 \times 55 \times 60 - 45 \times 50 \times 55) \div 15$；

原式 $= (50 \times 55 \times 60 - 0 \times 5 \times 10) \div 15 = 11000$．

（2） $4 \times 9 = 4 \times 9$；

$9 \times 14 = (9 \times 14 \times 19 - 4 \times 9 \times 14) \div 15$；

$14 \times 19 = (14 \times 19 \times 24 - 9 \times 14 \times 19) \div 15$；

……

$49 \times 54 = (49 \times 54 \times 59 - 44 \times 49 \times 54) \div 15$；

原式 $= (49 \times 54 \times 59 - 4 \times 9 \times 14) \div 15 + 4 \times 9 = 10410$．

作业简答

1 440

简答：

$1 \times 2 = (1 \times 2 \times 3 - 0 \times 1 \times 2) \div 3$；

$2 \times 3 = (2 \times 3 \times 4 - 1 \times 2 \times 3) \div 3$；

……

$10 \times 11 = (10 \times 11 \times 12 - 9 \times 10 \times 11) \div 3$；

原式 $= (10 \times 11 \times 12 - 0 \times 1 \times 2) \div 3 = 10 \times 11 \times 12 \div 3 = 440$．

2 1760

简答：

$2 \times 4 = (2 \times 4 \times 6 - 0 \times 2 \times 4) \div 6$；

$4 \times 6 = (4 \times 6 \times 8 - 2 \times 4 \times 6) \div 6$；

……

$20 \times 22 = (20 \times 22 \times 24 - 18 \times 20 \times 22) \div 6$；

原式 $= (20 \times 22 \times 24 - 0 \times 2 \times 4) \div 6 = 1760$．

3 358

简答：

$1 \times 3 = 1 \times 3$；

$3 \times 5 = (3 \times 5 \times 7 - 1 \times 3 \times 5) \div 6$；

$5 \times 7 = (5 \times 7 \times 9 - 3 \times 5 \times 7) \div 6$；

……

$11 \times 13 = (11 \times 13 \times 15 - 9 \times 11 \times 13) \div 6$；

原式 $= (11 \times 13 \times 15 - 1 \times 3 \times 5) \div 6 + 1 \times 3 = 358$．

4 1708

简答：

$4 \times 7 = (4 \times 7 \times 10 - 1 \times 4 \times 7) \div 9$；

$7 \times 10 = (7 \times 10 \times 13 - 4 \times 7 \times 10) \div 9$；

……

$22 \times 25 = (22 \times 25 \times 28 - 19 \times 22 \times 25) \div 9$；

原式 $= (22 \times 25 \times 28 - 1 \times 4 \times 7) \div 9 = 1708$．

5 4290

简答：

$1 \times 2 \times 3 = (1 \times 2 \times 3 \times 4 - 0 \times 1 \times 2 \times 3) \div 4$；

$2 \times 3 \times 4 = (2 \times 3 \times 4 \times 5 - 1 \times 2 \times 3 \times 4) \div 4$；

……

$10 \times 11 \times 12 = (10 \times 11 \times 12 \times 13 - 9 \times 10 \times 11 \times 12) \div 4$；

原式 $= (10 \times 11 \times 12 \times 13 - 0 \times 1 \times 2 \times 3) \div 4 = 4290$．

第十九讲 容斥原理

例题详解

1 （1）6；（2）11；（3）17

详解：画出两个对象的文氏图，找到相应的数字表示的区域．

（1） $36 + 20 - 50 = 6$ 人；

（2）小高去过其中的 12 景，那么只有墨莫一个去过的景有

$18 - 12 = 6$ 景，墨莫共去过 $6 + 5 = 11$ 景；

（3）这里要把重复的区域去掉两次才是只看过一部的，共

有 $12 + 21 - 8 \times 2 = 17$ 人．

2 55

详解：画出文氏图，游泳和长跑这两项比赛会有重叠，要区别游泳的男生和游泳女生，且这两部分不会重叠，这时我们用一条直线把一个区域分成两部分，这两部分没有重叠．

如果不考虑性别，参加长跑比赛的人有 $150+90=240$ 人，参加游泳比赛的人有 $120+70=190$ 人．总人数是 305 人，那么游泳和长跑都参加的人有 $240+190-305=125$ 人，其中男生有 110 人，那么两样都参加的女生有 $125-110=15$ 人．那么只参加游泳的女生有 $70-15=55$ 人．

此题的方法不唯一，也可以看图算出男生有 $120+150-110=160$ 人，那么女生有 $305-160=145$ 人．只参加游泳的人有 $145-90=55$ 人．

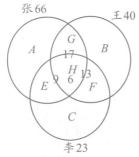

3 96

详解：首先画出文氏图，找到相应的数字所表示的区域．计算股票之和把张、王、李股票数相加 $66+40+23=129$，其中 129 支股票中 G、E、F 算了两次，H 算了三次．去掉这些重复计算的区域（G、E、F 去掉一次，H 去掉两次），$129-17-13-9=90$，发现 G、E、F 去掉了一次，但 H 去掉了三次，最后还要把 H 加上一次．$90+6=96$ 支．

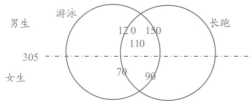

4 （1）33 人；（2）9 人

详解：（1）难点是至少答对二道题的学生指的是哪个区域．至少答对二道题的区域是指这些重叠的区域 A、B、C、D，那么王老师班上有 $10+6+4+8+5=33$ 人．

（2）通过画文氏图，$D=1$，$A=3$，$B+D+C=8-3=5$，答对第 3 道题的同学有 $5+4=9$ 人．

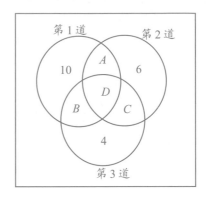

5 24 人

详解：遇到倍数关系时，一般情况下设最小的为"1"，有倍数关系的就好办了．这里面设 3 项活动都参加的人数为"1"，那么文艺小组人数为"8"，既参加数学也参加文艺的人数为"2"，既参加文艺又参加语文小组人数为"3"．

方法一：根据文氏图可求出总人数为 $24+20+"8"-"2"-"3"-10+"1"=34+"4"=46$，那么 "1"=3 人，文艺小组有 "8"=24 人．

方法二：数学有 24 人参加，语文有 20 人参加，既参加数学又参加语文的有 10 人，所以参加语文和数学至少一门的人有 $24+20-10=34$ 人，那么只参加文艺的人有 $46-34=12$ 人，这部分人有 "4"=12，"1"=3 人，文艺小组有 "8"=24 人．

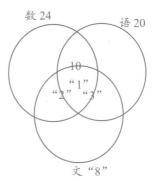

6 4 人

详解：要想三项都会的人尽量少，那么要让会游泳、骑自行车、乒乓球的人尽量分散开来．画图如下，最后可得至少有 4 名学生三项都会．

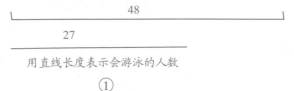

用直线长度表示会游泳的人数

①

骑自行车的人数尽量不和游泳的人重复，故接着游泳的后面画

②

48
27 21
12 36

4

同理，会乒乓球的人可再接着骑自行车的人后面画

③

练习简答

1 83

简答：画出两个对象的文氏图，找到相应的数字表示的区域. $42+56-15=83$ 人.

2 70

简答：如果不考虑性别，参加数学竞赛的人有 $120+80=200$ 人，参加语文竞赛的人有 $80+120=200$ 人．总人数是 260 人，那么数学和语文都参加的人有 $200+200-260=140$ 人，其中男生有 75 人，那么两样都参加的女生有 $140-75=65$ 人．那么只参加一科竞赛的女生有 $(80-65)+(120-65)=70$ 人.

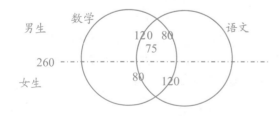

3 89 平方分米

简答：三个对象容斥原理：$40+36+27-5-7-4+2=89$ 平方分米.

4 150 人

简答：如图，只订阅一种报刊的是 E、F、G 三部分，共 600 人；只订阅两种报刊的是 A、B、C 三部分，共 200 人，三种报刊都订阅的是 D，有 50 人，所以订报刊的人一共有 $600+200+50=850$ 人，学校一共有 1000 人，所以没有订报的人有 $1000-850=150$ 人.

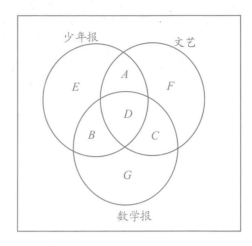

作业简答

1 21

简答：利用容斥原理，$32+39-50=21$ 人.

2 19

简答：先求出至少会一样的人数，再求两样都不会的人数. $46-(14+17-4)=19$ 人.

3 17

简答：利用三个对象之间的容斥原理，共 $15+10+6-(8+5+3)+2=17$ 种糕点.

4 9

简答：根据容斥原理，共有 $110-(92+51+58-80-20)=9$ 人.

5 12

简答：画出文氏图，先求出至少参加一个小组的人数．至少参加一个小组的人有 $92+51+30-35=138$ 人．一个小组都没参加的有 $150-138=12$ 人.

第二十讲 复杂抽屉原理

例题详解

1 （1）5；（2）13

详解：（1）利用最不利原则，最倒霉的情况是：取的所有的球中，每种颜色都有且仅有 1 个，再任意取一个就可以满足要求．所以至少要取 $4+1=5$ 个才能保证一定有两个颜色相同.

（2）利用最不利原则，最倒霉的情况是：取的所有的球中，每种颜色都有且仅有 3 个，再任取一个就可以满足要求．所以至少要取 $4\times3+1=13$ 个才能保证一定有四个颜色相同.

2 21

详解：摸出两个球，颜色共有 10 种可能（枚举可得），即 10 个抽屉．利用最不利原则，最倒霉的情况是，摸出的所有球中，每一种颜色情况都出现了 2 次，再任意取一次就可以满足要求．所以至少要取 $10 \times 2 + 1 = 21$ 次才能保证一定有三次摸出球的颜色情况是相同的．

3 证明略

详解：每一列三个方格染色情况共有 $A_3^3 = 3 \times 2 \times 1 = 6$ 种可能．一共有 7 列，$7 \div 6 = 1 \cdots\cdots 1$，所以一定至少有两列染色方式是一样的．

4 16 个；16 个

详解：

（1）把 1~30 这 30 个数分为如下 15 组——（1，30）、（2，29），（3，28），…，（15，16），每一组的两个数之和都是 31，而且不是同组的两个数之和一定不等于 31．利用最不利原则，最倒霉的情况是，所取的所有数恰好是每组中各一个，那么再任意取一个即可满足要求，所以至少要取出 $15 + 1 = 16$ 个数，才能保证一定有两个数的和等于 31．

（2）把 1~30 这 30 个数进行如下分组：

（1，4，7，10，13，16，19，22，25，28）

（2，5，8，11，14，17，20，23，26，29）

（3，6，9，12，15，18，21，24，27，30）

共 3 组，每组有 10 个数，连续两个数的差都是 3，不连续的 3 个数的差都不为 3，而且不同组的两个数之差一定不是 3．利用最不利原则，每组都先隔一个取一个，即各取 5 个，那么再任意取一个即可满足要求，所以至少要取出 $5 \times 3 + 1 = 16$ 个才能保证一定有两个数的差为 3．

5 （1）2；（2）证明略

详解：（1）面积最大为正方形的一半，即 $2 \times 2 \div 2 = 2$．此时，其中两个点恰好为某一条边的两个端点，第三个点在该边的对边上．

（2）把边长为 4 的正方形分成 4 个 2×2 的小正方形．9 个点放进去，$9 \div 4 = 2 \cdots\cdots 1$，那么一定至少有 3 个点是在同一个小正方形中，那么这 3 个点所构成的三角形面积一定不超过 2（即第 1 问）．

6 证明略

详解：用实线相连表示认识，虚线相连表示不认识，如图，A 和其他 5 个人，要么认识，要么不认识，所以一定有三条线是相同的，不妨假设 AB、AC、AD 三条是实线，接下来连接 B、C、D 三个人，每两个人只有两种连接方法，要么实线，要么虚线．如果有实线，则这两个人与 A 三人互相认识，如果全是虚线相连，则 B、C、D 三人互相不认识．

即证.

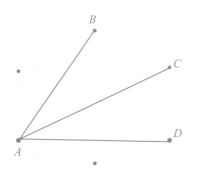

练习简答

1 25

简答：利用最不利原则，最倒霉的情况是：取的所有的积木中，每种形状都有且仅有 2 个，再任取一个就可以满足要求．所以至少要取 $12 \times 2 + 1 = 25$ 个才能保证一定有三个形状相同．

2 11

简答：摸出 4 枚棋子，颜色共有 5 种可能（枚举可得），即 5 个抽屉．利用最不利原则，最倒霉的情况是，摸出的所有棋子中，每一种颜色情况都出现了 2 次，再任意取一次就可以满足要求．所以至少要取 $5 \times 2 + 1 = 11$ 次才能保证一定有三次摸出棋子的颜色情况是相同的．

3 证明略

简答：每一列两个方格染色情况共有 $2 \times 2 = 4$ 种可能．共 5 列，$5 \div 4 = 1 \cdots\cdots 1$．

4 11 个；11 个

简答：（1）把 1~20 这 20 个数分为如下 10 组——（1，20），（2，19），（3，18），…，（10，11），每一组的两个数之和都是 21，而且不是同组的两个数之和一定不等于 21．利用最不利原则，最倒霉的情况是，所取的所有数恰好是每组中各一个，那么再任意取一个即可满足要求，所以至少要取出 $10 + 1 = 11$ 个数，才能保证一定有两个数的和等于 21．

（2）把 1~20 这 20 个数进行如下分组：

（1，6，11，16）

（2，7，12，17）

（3，8，13，18）

（4，9，14，19）

（5，10，15，20）

共 5 组，每组有 4 个数，连续两个数的差都是 5，不连续的 2 个数的差都不为 5，而且不同组的两个数之差一定不是 5．利用最不利原则，每组都先隔一个取，即各取 2 个，那么再

任意取一个即可满足要求,所以至少要取出 $2 \times 5 + 1 = 11$ 个才能保证一定有两个数的差为3.

作业简答

1 21

简答:应用最不利原则,要保证一定有 5 个颜色相同,则首先每种颜色都取 4 个,再任取 1 个即可.所以至少要取 $5 \times 4 + 1 = 21$ 个.

2 9

简答:从盒子里左右手各摸出 1 枚围棋棋子,共有黑黑、黑白、白黑、白白四种可能.要保证有三次摸出棋子颜色情况相同,应用最不利原则,当每种情况都出现了两次时,再随意摸出一次,就一定有三次的颜色情况是相同的,即至少要摸出 $2 \times 4 + 1 = 9$ 次.

3 26

简答:要保证一定有两个数的和是奇数,即要保证一定有两个数奇偶性不同,1 至 50 中,共有 25 个奇数、25 个偶数,所以至少要取出 $25 + 1 = 26$ 个数,才能保证一定有两个数奇偶性不同.

4 不能

简答:4×4 的方格表,行和、列和、对角线和共有 10 个.当把 1、2、3 填进去时,4 个数的和最小为 $1 \times 4 = 4$,最大为 $3 \times 4 = 12$,共有 9 种可能,所以行和、列和、对角线和这 10 个数不可能互不相同.

5 证明略

简答:由数字 1、2、3 组成的十一位数,任意截取相邻两位,所得的两位数所包含的十位、个位两个数字只可能是 1、2、3,所以这样的两位数一共有 $3 \times 3 = 9$ 种可能.而从十一位数字中截取的两位数一共有 10 个,$10 \div 9 = 1 \cdots\cdots 1$,所以至少有两个所截两位数是相等的.